DEIXE-ME *apresentar* VOCÊ!

Talitha Pereira

DEIXE-ME *apresentar* VOCÊ!

Descubra sua verdadeira identidade

Vida

Editora Vida
Rua Conde de Sarzedas, 246 – Liberdade
CEP 01512-070 – São Paulo, SP
Tel.: 0 xx 11 2618 7000
atendimento@editoravida.com.br
www.editoravida.com.br

Todos os grifos são do autor.

■

Editor responsável: Gisele Romão da Cruz
Editor-assistente: Marcelo Martins
Preparação: Sônia Freire Lula Almeida, Equipe Vida
Revisão de provas: Andrea Filatro
Projeto gráfico e diagramação: Claudia Fatel Lino
Capa: Equipe Vida

Todas as citações bíblicas e de terceiros foram adaptadas segundo o Acordo Ortográfico da Língua Portuguesa, assinado em 1990, em vigor desde janeiro de 2009.

1. edição: maio 2019
1ª reimp.: maio 2019
2ª reimp.: jun. 2019
3ª reimp.: jul. 2019
4ª reimp.: ago. 2019
5ª reimp.: set. 2019
6ª reimp.: jan. 2020

Dados Internacionais de Catalogação na Publicação (CIP)
(Câmara Brasileira do Livro, SP, Brasil)

Pereira, Talitha
Deixe-me apresentar você : descubra sua verdadeira identidade/ Talitha Pereira. -- São Paulo : Editora Vida, 2019.

ISBN 978-85-383-0394-7

1. Autoestima em mulheres 2. Crescimento pessoal 3. Mulheres - Aspectos religiosos 4. Mulheres - Identidade 5. Mulheres - Vida religiosa I. Título.

19-25136 CDD-248.8

Índices para catálogo sistemático:

1. Mulheres : Vida cristã 248.8

Maria Alice Ferreira - Bibliotecária - CRB-8/7964

DEDICATÓRIA

Ao meu Pai de amor, dedico este livro,
o autor da vida que apresentou minha
verdadeira identidade.

À minha mãe, que me apresentou
a minha identidade em Deus desde que nasci.

Ela olhou para uma criança tagarela e disse:
"Minha filha, você vai ser uma escritora e
usar todas as suas palavras para honrar a Deus!".
Obrigada por sua visão de amor!

Às minhas filhas, Sarah, Laura e Helena,
que me apresentaram a uma nova Talitha, a mãe.
Meu desejo é apresentar vocês a si mesmas
como filhas preciosas de Deus.

Apresentação

Deixe-me apresentar você nasceu da experiência da pastora Talitha Pereira em lidar com os problemas mais corriqueiros encontrados por nós, mulheres, com relação à nossa própria identidade, aos nossos medos, anseios e frustrações.

A autora procura desmascarar mentiras arraigadas no consciente e inconsciente feminino que impedem as mulheres de viver uma vida significativa e produtiva tanto do ponto de vista pessoal quanto comunitário.

Em *Deixe-me apresentar você*, a mulher leitora reconhecerá sua força e capacidade, bem como será desafiada a mudar de perspectiva em relação a si mesma e a seu mundo mais íntimo rumo ao crescimento pessoal, familiar, profissional e social.

Fruto de diversas palestras e conferências, estudo e formação acadêmica, a experiência da autora é comprovadamente reconhecida por um amplo público de todas as idades.

Cara leitora, comece hoje a conhecer o seu potencial!

Equipe Editora Vida

SUMÁRIO

PREFÁCIO

Em sua primeira carta, o apóstolo Pedro instrui os maridos quanto à maneira como devem tratar suas esposas:

> *"Do mesmo modo vocês, maridos, sejam sábios no convívio com suas mulheres e tratem-nas com honra, como parte mais frágil e co-herdeiras do dom da graça da vida, de forma que não sejam interrompidas as suas orações" (1Pedro 3.7).*

Ocasionalmente, tenho sido questionada ou tenho presenciado discussões quanto ao fato de a mulher ser "parte mais frágil". Inconformadas, algumas discordam veementemente da afirmação de Pedro, ignorando inclusive a seriedade e beleza do restante do texto. Tal reação diante do texto bíblico me levou a refletir demoradamente sobre o tema; afinal, somos tão fortes! O mesmo verso afirma que somos "co-herdeiras do dom da graça da vida", fazendo alusão à gestação. Nosso corpo se abre e se modifica para acolher e acomodar o crescimento de outro ser humano; entre dores agudas o damos à luz; nossos seios explodem em leite para nutrir, de alimento e afeto, o bebê que transforma tudo ao redor com sua chegada. Para quem já passou por esse processo, é difícil entender como frágil a mulher, designada pelo próprio Deus, para vivenciar tal experiência. Entretanto, se observarmos alguns aspectos emocionais, a mulher comumente se revela mais vulnerável.

Fico observando como os homens costumam ser pragmáticos, objetivos e mais "leves" no que diz respeito à própria aparência, por exemplo. Muitos, dependendo do nível de intimidade, disparam uns contra os outros palavras cruéis em forma de brincadeira: "Ainda bem que seu filho se parece com a mãe", "Cara, e essa barriga?", "Velho, onde foi parar seu cabelo?". Os comentários ácidos, seguidos de gargalhadas, se transformam em apreciação imediatamente após a despedida: "Esse cara é gente boa demais!".

É impossível as mesmas palavras serem trocadas entre mulheres sem causar danos consideráveis. Vivemos buscando um modelo inatingível de beleza e, motivadas pela insatisfação, nos autossabotamos. Não raro, nós nos comparamos a outras mulheres. Além disso, temos dificuldade em elogiar e receber elogios. Sob esse aspecto, o apóstolo Pedro tem toda a razão em sua afirmação de que somos a parte mais frágil.

Ouvimos ao longo da vida tantas mentiras sobre nós mesmas que passamos a acreditar nelas como se fossem verdades. Enfrentamos imposições e cobranças absurdas, o que gera pensamentos destrutivos. Isso não significa que estamos fadadas a permanecer como vítimas da nossa vulnerabilidade; pelo contrário, podemos avançar rumo ao fortalecimento da nossa identidade e do nosso propósito que fluem de um relacionamento íntimo e pessoal com o Criador.

Assim como Deus ordenou ao homem amar e tratar com dignidade sua mulher, ele mesmo disponibiliza, por meio de seu incomparável amor e graça, tudo de que necessitamos como mulheres, para viver em plenitude, desfrutando de todas as nossas potencialidades, absolutamente conscientes de nossa singularidade e de nosso valor. Você é única!

Com uma abordagem bíblica, leve e consistente, minha querida amiga Talitha Pereira, em *Deixe-me apresentar você*, nos conduz com sabedoria a uma nova perspectiva sobre nós mesmas. Provocando reflexões profundas, a autora desmascara, com mestria, as mentiras bem contadas em nossos dias e nos eleva à verdade libertadora do autoconhecimento e de quem verdadeiramente fomos criadas para ser. Desfrute a leitura, permita que sua visão seja ampliada e que uma nova atitude seja gerada em você.

Com carinho,

— Helena Tannure,
conferencista internacional,
escritora, apresentadora,
professora e cantora.

CAPÍTULO 1

IDENTIDADE

Comece hoje a se conhecer

Em um mundo de mentiras contadas repetidas vezes, a ponto de se tornarem "verdades" aos olhos humanos, encare este livro como uma apresentação real de você mesma. Creio que Deus está levantando uma geração de mulheres que receberam uma revelação poderosamente simples sobre a sua identidade. A partir do momento em que as escamas caírem de seus olhos e sua visão for aberta, ninguém mais pode segurar você, minha amiga!

SAIBA QUEM VOCÊ É

> *Quando Mefibosete, filho de Jônatas e neto de Saul, compareceu diante de Davi, prostrou-se, rosto em terra. "Mefibosete?", perguntou Davi. Ele respondeu: "Sim, sou teu servo".*
>
> *"Não tenha medo", disse-lhe Davi, "pois é certo que eu o tratarei com bondade por causa de minha amizade com Jônatas, seu pai. Vou devolver-lhe todas as terras que pertenciam a seu avô Saul; e você comerá sempre à minha mesa".*
>
> *Mefibosete prostrou-se e disse: "Quem é o teu servo, para que te preocupes com um cão morto como eu?".*
>
> 2Samuel 9.6-8

A Bíblia nos fala sobre a história de Mefibosete, neto do rei Saul e filho de Jônatas. Em determinado momento, Davi desejava abençoar alguém da família de Saul por tamanho amor que tinha por Jônatas. Ele procurou saber se ainda existia alguém daquela família a quem pudesse demonstrar bondade. Um de seus servos relatou que Mefibosete estava vivo e morava numa cidade chamada Lo-debar.

O nome "Lo-debar" significa "lugar sem pastagens", "lugar de miséria", "lugar de esquecimento". Pense comigo: Por que o neto de um rei estaria vivendo em um lugar assim? Por que ele não foi até o palácio para reivindicar seus direitos e privilégios como herdeiro do rei Saul, sem mencionar os seus direitos e privilégios como filho de Jônatas, que tinha uma aliança com o rei Davi?

Segundo as leis em Israel naquela época, quando duas pessoas faziam uma aliança, tudo o que cada uma delas possuía era colocado à disposição da outra. Elas teriam que ajudar uma à outra e até lutar uma pela outra. A aliança se estendia por gerações, para filhos e herdeiros, mas Mefibosete, filho e herdeiro de Jônatas, estava vivendo na pobreza. Por quê? Porque ele tinha um problema de identidade! Ainda que soubesse de onde tinha vindo, quem era sua família, ele não conhecia o poder de aceitar a própria identidade.

Anos antes, quando Mefibosete ainda era um bebê, chegou ao palácio a notícia assustadora de que Saul e Jônatas haviam sido mortos em combate. Ouvindo isso, sua ama fugiu com ele nos braços, temendo que Davi pudesse usar o menino para se vingar da maneira como havia sido tratado pelo rei Saul. Durante a fuga, a babá deixou Mefibosete cair; por causa disso, ele ficou aleijado.

Sua autoimagem tem o poder de determinar o seu destino!

Desde então, Mefibosete achava que era "imperfeito", "danificado", "problemático" demais para a realeza. Ele pensava que nunca seria aceito por causa de sua imperfeição. Muitas vezes, nós nos sentimos assim. Acreditamos que não seremos aceitos apenas por quem somos, com nossas características e todos os defeitos que fazem parte da nossa vida. Gostaríamos que o contrato de sermos nós mesmas incluísse apenas as qualidades; assim, seríamos aceitáveis. "Afinal, como alguém tão imperfeito pode fazer parte da realeza de um Deus perfeito?", pensamos.

Mas o que eu quero que você entenda é que nenhum defeito é capaz de mudar o sangue real que corre em suas veias! É hereditário! Assim que você nasce, recebe na hora! Sua autoimagem tem o poder de determinar o seu destino. A maneira como você se enxerga é essencial para definir o caminho que será trilhado.

Quando Davi mandou chamar Mefibosete, este se prostrou diante do rei e demonstrou medo. Davi disse a ele para não temer, porque o rei apenas queria usar de bondade com o rapaz. Mefibosete, porém, respondeu que não era nada mais que um *cão morto*. Isso é o ápice de uma autoimagem negativa e destruída. Em vez de se ver como herdeiro do legado de seu pai e de seu avô, ele se sentia como alguém que seria rejeitado para sempre por sua imperfeição.

Quando estamos nessa condição de olharmos para nós mesmas apenas como imperfeitas, só conseguimos olhar para o que está errado em nós, e não olhamos para o que está certo em Jesus, ele que é perfeito. O medo de não ser aceito e a vergonha por ter de lidar com as nossas imperfeições produzem uma vida amarga e infeliz. É como se tivéssemos sido libertas de uma escravidão eterna por Jesus, mas continuássemos vivendo como escravas. Acabamos nos esquecendo que ele levou nossa inadequação e nos deu em troca a sua justiça.

Você precisa compreender sua verdadeira identidade. É verdade que, para a maioria das pessoas, esse processo não é naturalmente vivido ou aprendido desde a infância. Pelo contrário, passamos a maior parte da vida aprendendo a rejeitar a nós mesmas e a olhar minuciosamente para cada defeito que temos. A rejeição que já sofremos, e o medo de sofrer outras, não transforma, apenas multiplica os problemas. Quando, porém, há aceitação da nossa identidade, podemos encarar a realidade e, depois de tê-la encarado, começamos a lidar com ela.

Eu não conheço a sua história, é verdade. Mas uma coisa eu sei: se você possui uma autoimagem deturpada, provavelmente alguma figura de autoridade na sua vida sempre escancarava seus pontos fracos, fazia comparações sobre você ou a fazia passar por situações de profundo julgamento, desencorajamento e vergonha. Como ninguém (ou quase ninguém) enaltecia suas qualidades, você passou a ter uma visão distorcida de si mesma.

Preste muita atenção agora: Temos que compreender que somos maravilhosas porque Deus nos fez assim! O Criador do mundo simplesmente não consegue fazer nada "mais ou menos". O Autor da vida não estava no meio da sua criação quando cansou e decidiu terminar de qualquer jeito. Pelo contrário! Ele não descansou até criar uma obra absolutamente memorável, admirável e encantadora.

Se você não acredita que é uma obra-prima é porque, na realidade, ainda não sabe quem é. Benjamin Franklin disse: "Existem três coisas extremamente duras: o aço, o diamante e conhecer a si mesmo". É verdade. O processo de autoconhecimento é longo e duro. Mas é nessa jornada completamente transformadora que você deve se lançar se deseja ter uma vida de plenitude.

No processo entre tentar agradar a todas as pessoas que conhecemos e atender às nossas próprias necessidades, nós nos perdemos de nós mesmas e da vontade de Deus. Investimos todas as energias que temos e, no final do dia, após falharmos (porque é humanamente impossível atender a essas expectativas irreais), nós nos sentimos culpadas, frustradas e infelizes.

Este é o tempo para o autoconhecimento! Este é o tempo da transformação! Então, gostaria que você refletisse sobre algumas coisas:

- *Para quem você está vivendo?*
- *Por que você está fazendo o que faz?*
- *Será que você se tornou alguém que vive para agradar às pessoas?*
- *O que você realmente quer fazer da sua vida?*
- *Você já teve a sensação de que nunca seria tudo que os outros querem que você seja?*

Vou deixar aqui algumas linhas para você responder com sinceridade a essas perguntas. Vamos lá! Olhe-se no espelho! Olhe para si mesma e seja sincera:

É uma tarefa árdua, não é mesmo? Não é simples encarar a si mesma com seus sonhos e ainda enfrentar as expectativas que todos colocam sobre você!

Então, agora acalme o seu coração e leia isto aqui:

> Ainda bem que você não vai conseguir ser quem todo mundo quer que você seja. Porque você não nasceu para ser quem os outros querem, você nasceu para ser VOCÊ!

Deus a criou com esta missão: ser você mesma! O propósito da sua vida deve ser descobrir quem você é e ser bem-sucedida nisso. Ouvi certa vez: "Quando nos ocupamos tentando ser o que todo mundo é, fracassamos em ser nós mesmas". E é exatamente assim! Ou você tenta ser os outros, ou você é você!

Quando você chegar lá no céu, Deus não vai olhar para você e dizer: "Minha filha, por que você não foi igual ao seu marido? Por que você não foi igual àquela pregadora? Por que você não foi igual ao apóstolo Paulo?". Não! Ele vai lhe dizer: "Por que você não foi você?".

A verdade é que as pessoas sempre farão exigências e irão cobrar você. Mas o que você vai fazer em relação a isso é o que realmente importa. Quando aprendemos a ouvir a voz do nosso Criador, todas as outras vozes ao nosso redor tornam-se apenas coadjuvantes. Não deixe que o barulho de outras vozes atrapalhem você de ouvir a voz do Pai. Entenda a sua identidade, a sua direção e o seu chamado de acordo com o que o Senhor lhe diz.

O propósito da sua vida deve ser descobrir quem você é e ser bem-sucedida nisso!

Lembra de Mefibosete? Mefibosete viveu de maneira inferior ao que tinha direito por muito tempo. Ele poderia desfrutar de todos os benefícios e encantos de um palácio, mas passou anos sendo enganado pela falta de entendimento da sua identidade. No entanto, tudo na vida dele mudou quando ele entendeu que não devia ser menos do que tinha nascido para ser. Na sua vida acontecerá o mesmo agora! Chegou o tempo de você entrar em concordância com Deus sobre si mesma!

Eu aprendi algo na minha vida: Só tem valor aquilo que valorizamos! Você já percebeu? Algumas coisas dependem de nós mesmas. Por isso, eu desafio você a valorizar a criação de Deus que é você mesma!

Cada uma de nós tem um caminho a ser percorrido. Calma! Você não chegou ao nível máximo de perfeição que almeja. Mas posso dizer uma coisa? Você não precisa ser perfeita! Você precisa ser VOCÊ!

Mais à frente vamos falar especificamente sobre o filtro irreal da perfeição, mas, desde já, peço que você tire de si mesma o fardo de perfeição que carrega. Essa tentativa diária e frustrada de ter que ser perfeita. O Inimigo sempre irá lançar setas em sua mente como: "Ah, ainda falta tanto para você conseguir, para você acertar! Você nunca vai ser perfeita! Você nunca vai ser quem Deus criou você para ser!".

A partir de agora, não precisa mais ficar presa a uma sensação constante de fracasso, de que não está fazendo o suficiente ou de que precisa se esforçar mais.

Entenda que todas as pessoas ao seu redor também estão lutando para crescer, romper e ser melhores a cada dia, mas eis o mais importante: absolutamente nada pode abalar quem somos. Nossa identidade é imutável!

Aceite quem você é

> *Então o rei convocou Ziba e disse-lhe: "Devolvi ao neto de Saul, seu senhor, tudo o que pertencia a ele e à família dele".*
> 2Samuel 9.9

A maior parte das pessoas, principalmente do sexo feminino, se sente mal acerca de si mesma. Aceitar quem somos parece uma tarefa tão árdua que chega a ser considerada missão impossível. Observe o trecho da história de Mefibosete. Davi estava simplesmente lhe devolvendo tudo; não é parte, é tudo. Em nenhum momento, Davi questionou se Mefibosete merecia, se era digno o suficiente ou se havia realizado grandes feitos para receber todos aqueles presentes. Deus, por meio de Davi, foi lá e fez!

Você já conheceu alguém que tem dificuldade em receber? Chega até a ser um pouco constrangedor quando damos um presente, e a pessoa simplesmente não quer aceitar, não é? Precisamos ficar insistindo para que ela apenas estenda as mãos e aceite. Quando recebemos algo de Deus, na verdade, trazemos para dentro de nós o que ele oferece. É um ciclo incrível!

A partir do momento em que recebemos o amor dele, podemos começar a compartilhar esse amor de volta para Deus e para outras pessoas.

> *O grande problema que faz com que nós rejeitemos o presente da* identidade *é que nós nos definimos de acordo com o que* fazemos, *não com o que* somos.

Deus tem derramado sobre nós seu amor. Ele tem sido generoso em nos presentear! O que estamos fazendo com os presentes que o Senhor nos tem dado? Estamos rejeitando-os por achar que não temos valor para sermos amadas, aceitas, cuidadas? Talvez, o problema seja que, até hoje, você apenas acreditou no amor de Deus, mas nunca, de fato, o recebeu e, automaticamente, não recebeu sua identidade em Cristo.

Entre todas as pessoas que conhecem você, ninguém tem a capacidade de sondar seu coração e sua alma como Deus. Ele, sim, sabe tudo ao nosso respeito! Ele conhece cada fio de cabelo nosso, cada pensamento que passa pelo nosso cérebro, cada emoção que toma o nosso coração. O grande problema que faz com que rejeitemos o presente da *identidade* é que nós nos definimos de acordo com o que *fazemos*, não com o que *somos*.

Pare agora um momento para pensar. Vou deixar aqui algumas linhas para você expressar o que você faz:

Agora, vou te dar um grande desafio: muito além de tudo o que você faz, quem você é?

A segunda tarefa é muito mais difícil, não acha?

Somos muitos mais do que ações, sejam elas erros ou acertos. Mas ficamos espremendo quem somos dentro dessa caixa, que eu vou apelidar de "caixa do desempenho". A verdade é que essa caixa é uma caixa muito pequena... Deus não a fez para caber nela! Contudo, você se espreme até estar totalmente limitada e definida pelo que faz, não por quem você é em Jesus.

Você é o que Deus falou!
Usufrua seu direito ao palácio e abandone essa vida de escrava!

Por exemplo, se você tem um problema específico com a mentira, talvez chegue a dizer: "Sou mentirosa". A partir desse momento, você usou a sua fé contra si mesma. As tentações não definem você. Os erros não definem você. As quedas não definem você. Porque Jesus Cristo já definiu você! Você não é os seus erros! Amo a ideia de que somos definidas pelas virtudes que abraçamos e pelo que Deus diz a nosso respeito.

Legalismo tem tudo a ver com "fazer"; o seu relacionamento com Jesus é sobre "ser". *Você já é todas as coisas que Deus falou*, a identidade já é sua, mas você precisa aceitá-la. Enquanto isso não acontecer, infelizmente, você vai passar a vida inteira tendo direito ao palácio, mas vivendo como escrava!

CELEBRE QUEM VOCÊ É

> *Então Mefibosete foi morar em Jerusalém, pois passou a comer sempre à mesa do rei. E era aleijado dos pés.*
>
> 2Samuel 9.13

Uau, que final incrível! Quando Mefibosete compreendeu sua identidade e decidiu aceitá-la, tudo mudou. Podemos comparar a deficiência física de Mefibosete com nossas próprias fraquezas. Não somos perfeitas! Temos fraquezas, talvez diárias! Mas saiba que podemos ter comunhão e comer com o nosso Rei Jesus, apesar dessas falhas. Ainda temos uma aliança com Deus, selada e ratificada pelo sangue de Jesus Cristo. E mais: Podemos celebrar essa revelação! Ele nos aceita e nos ama! Já é motivo suficiente, não é?

Oferecemos a Deus o que temos, e recebemos dele o que ele tem. E ele? Ah, ele toma todos os nossos pecados, falhas, fraquezas e fracassos para si, e nos dá a capacitação, a justiça e a força que são dele. Ele toma nossa pobreza e nos dá as suas riquezas. Ele toma as nossas doenças e nos dá sua cura. Ele toma o nosso passado caótico e cheio de fracasso, e em seu lugar nos dá a esperança de um futuro brilhante.

Você pode sentar à mesa do Pai e celebrar sua identidade com ele! Algo poderoso acontece quando saímos da zona de conforto. A zona de conforto de Mefibosete era Lo-debar. Lá, ninguém sabia quem ele era; assim ele podia ficar na cadeira de balanço repetindo para si mesmo: "Ah! Coitadinho de mim. Ninguém me ama, ninguém me quer. Como sou injustiçado! Oh, céus! Oh, vida!".

Ele se rejeitava antes mesmo de o rei rejeitá-lo! Celebrar quem você é ter confiança na sua identidade e cumprir o seu propósito na terra. Comece a ver as coisas na perspectiva de Deus, não na sua. Jesus vê as coisas de modo diferente porque enxerga o fim desde o começo!

Ouvi uma história certa vez sobre um carregador de água na Índia que tinha dois potes grandes pendurados em cada extremidade de uma vara que ele posicionava por trás do pescoço, na nuca. Um dos potes era perfeito e sempre se mantinha cheio de água no fim da longa caminhada da fonte até a casa de seu senhor. O outro pote tinha uma rachadura e, quando chegava ao destino, estava com água apenas até a metade.

Todos os dias durante dois anos, o carregador indiano entregava apenas um pote e meio de água para a casa de seu senhor. É claro que o pote perfeito sentia orgulho de suas realizações, afinal, era perfeito em realizar o seu propósito. Já o pequeno pote rachado envergonhava-se de suas imperfeições e sentia-se infeliz por só poder realizar a metade do que havia sido destinado a fazer.

Depois de dois anos considerados como fracasso para o pote imperfeito, ele falou com o carregador de água:

— Sinto vergonha de mim mesmo e quero lhe pedir perdão.

— Por quê? De que você sente vergonha? — perguntou o carregador de água.

— Bem, durante estes dois últimos anos, só fui capaz de entregar a metade da água todos os dias, porque esta rachadura no meu lado deixa a água vazar durante todo o caminho

de volta até a casa do mestre. Por causa das minhas falhas, você precisa fazer todo esse trabalho sem receber o valor total pelos seus esforços. — disse o pote.

O carregador de água sentiu pena do velho pote rachado e, em sua compaixão, disse:

— Quando voltarmos para a casa do mestre, quero que você observe as lindas flores ao longo do caminho.

Realmente, à medida que eles subiam a colina, o velho pote rachado percebeu as belas flores selvagens ao lado do caminho. Mas, no fim da trilha, ele ainda se sentia mal porque metade tinha vazado novamente. Então o carregador de água disse ao pote:

— Você percebeu que só havia flores do seu lado do caminho? Isso aconteceu porque eu sempre soube da sua imperfeição e tirei vantagem disso plantando sementes de flores do seu lado do caminho. Todos os dias enquanto caminhávamos de volta da fonte, você regava as sementes e, durante dois anos, eu colhi essas belas flores para decorar a mesa do meu mestre. Se você não fosse exatamente como é, ele não teria tido essa beleza para enfeitar a casa.

Assim como aquele pote rachado, você também pode realizar coisas maravilhosas e celebrar a si mesma! Celebre sua identidade e quem nasceu para ser, porque com certeza o seu Criador e maior encorajador já a celebra todos os dias!

Este espaço é para você escrever a sua história levando em conta o conto do pote de barro. Analise as flores no seu caminho e escreva aqui!

Quando eu era do Soldadinho
de Cristo me sentia inferior
a uma outra garota, mas
aprendi que todos temos seus
talentos. Logo que entrei na
Brilho, me senti só por ter
mais uma que as garotas
achava que não era o su-
ficiente, mas aprendi que irmãos
[illegible] solar um hino pa-
ra dizer minha família
e Deus [illegible], só por estar
aos pés dele eu já as faço
feliz

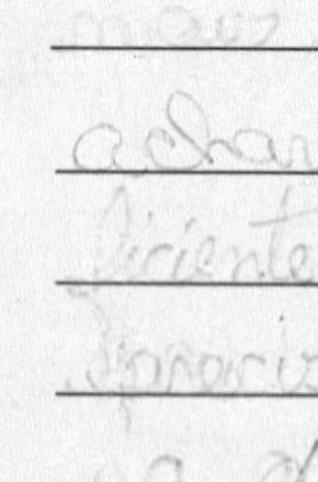

CAPÍTULO 2

EXPECTATIVAS

Comece hoje a desfrutar da liberdade!

No Antigo Testamento havia 252 leis que compunham o código obedecido pelos judeus. Já na época de Jesus, o judaísmo tinha quase triplicado esse número: 603 leis. Cerca de 100 delas haviam sido escritas contra as mulheres. Os fariseus eram *expert* em estabelecer dificuldades para as mulheres; por isso, quando Jesus veio para libertar os cativos (Isaías 61.1), as mulheres eram muito provavelmente o grupo mais afetado.

Jesus falou às mulheres com respeito e honra. Ele as protegeu de acusações, perdoou seus pecados e lhes demonstrou amor e afeição.

Jesus simplesmente rompeu todos os "nãos" que haviam sido criados contra as mulheres! Ele desafiou as regras impostas pelos homens. Um exemplo disso foi que Jesus ensinava na parte externa do templo para que as mulheres pudessem se unir aos ouvintes. Jesus chamou uma mulher aleijada à frente da sinagoga, uma área reservada para os homens, e a curou. Ele disse a Marta que o lugar de Maria era aos pés dele, não na cozinha, mesmo que naquela época ninguém ousasse ensinar às mulheres.

Os rabinos consideravam que seria preferível queimar a Torá a ensiná-la às mulheres. Jesus, pelo contrário, incluiu várias mulheres em sua equipe ministerial. Ele as tocou e permitiu que elas se aproximassem dele para serem curadas. E isso tudo aconteceu quando a mulher nem sequer podia conversar com um homem, muito menos atravessar a rua sem um véu que lhe cobrisse a cabeça. Jesus falou às mulheres com respeito e honra. Ele as protegeu, perdoou e lhes demonstrou amor e afeição.

O maior diálogo de Jesus registrado na Bíblia foi entre ele e uma mulher. E com uma mulher samaritana (uma tribo considerada rival dos judeus israelitas). Além de conversar, Jesus ensinou teologia a ela, um tópico expressamente proibido de ser abordado com uma mulher. E não foi só isso: Jesus revelou que ele era o Messias àquela mulher que tinha uma longa lista de atos considerados bastante condenáveis.

Em nenhum momento, Jesus pensou que já havia rompido regras suficientes e ensinado muitas coisas àquela mulher. Não! Ele viu na mulher samaritana não só uma aprendiz, como também uma pessoa que podia propagar seu ensino a outros! Ela foi uma das primeiras missionárias de que temos notícia.

Outro ato de Jesus que jamais poderia ter sido imaginado em sua época foi sua primeira aparição após a ressureição.

Jesus confiou o testemunho da ressurreição a uma mulher: Maria Madalena. Ao fazer isso, quebrou o maior paradigma de todos, permitiu que uma mulher falasse sobre Deus e anunciasse a salvação no Cristo ressurreto!

O mais incrível de todos os atos que ele fez foi subir aos céus e preparar para nós um novo lugar para nos relacionarmos com ele. Jesus subiu aos céus e nos preparou o lar eterno! É por isso que a igreja deveria ser o lugar mais seguro, mais livre e mais empoderador para as mulheres e para qualquer pessoa.

Hoje, uma mulher pode crescer e se tornar praticamente qualquer coisa. Comandante espacial da NASA, como Eileen Collins; secretária de Estado, como Condoleezza Rice; ou uma das 500 maiores CEO do mundo, como Anne Mulcahy da Xerox. Pode ser a rainha da Inglaterra, como Elizabeth II; pode ser a primeira-ministra de uma nação, como Golda Meir. Também pode ser presidente do Supremo Tribunal Federal, como Cármen Lúcia Antunes Rocha; ou âncora de alguns dos programas de televisão mais vistos de seu país, como Glória Maria. No entanto, infelizmente, ela não pode ser ministra eclesiástica ou mesmo mestra em algumas igrejas ou religiões cristãs.

Hoje é o dia que Jesus escolheu para mostrar algo que ele já fez por você. Além de escolhida, você recebeu autorização do céu para se destacar e liderar!

Como fazer isso? Como refletir o empoderamento dado por Jesus?

SEJA LIVRE DA PERFEIÇÃO

> *"No dia em que Elcana oferecia sacrifícios, dava porções à sua mulher Penina e a todos os filhos e filhas dela. Mas a Ana dava uma porção dupla, porque a amava, apesar de o SENHOR tê-la deixado estéril. E porque o SENHOR a tinha deixado estéril, sua rival a provocava continuamente, a fim de irritá-la. [...] Ana se levantou e, com a alma amargurada, chorou muito e orou ao SENHOR. E fez um voto, dizendo: 'Ó Senhor dos Exércitos, se tu deres atenção à humilhação de tua serva, te lembrares de mim e não te esqueceres de tua serva, mas lhe deres um filho, então eu o dedicarei ao SENHOR por todos os dias de sua vida [...]".*
>
> 1Samuel 1.4-6, 9c-11

O mundo estabelece um padrão inalcançável para as mulheres. Uma mulher tem que ser linda, bem-sucedida, *fitness*, segura, feliz. Tem que dar conta da casa, dos filhos, do marido. Tem que ser inteligente, emocionalmente estável, ter autoestima elevada. Tem que ser a mulher maravilha, aprender a voar e, se possível, ser tão magra quanto ela. Ou seja, o mundo diz que você precisa ser *só* perfeita.

No tempo de Ana e Penina, uma mulher só alcançaria a tão almejada vida perfeita caso fosse mãe. Ela podia ter tudo; no entanto, se não tivesse filhos, seria "imperfeita" e "incompleta" aos olhos da sociedade. Por isso, Ana pensava que tudo seria perfeito quando ela tivesse um filho. Ela já era amada e aceita por seu marido, mas, ainda assim, sentia como se algo lhe faltasse. Ana se sentia imperfeita em um mundo que cobra nada menos que a perfeição.

Chegou a hora de você receber uma verdade que vai mudar o rumo da sua história: Deus não espera que você seja perfeita. Pelo contrário. Ele já conhece as suas imperfeições. Deus sabe que, como a personagem bíblica Ana, você já chorou muito e orou ao Senhor pedindo a ele que lhe entregasse "aquilo" que falta para preencher sua caixinha do desempenho e considerar a si mesma como perfeita, mas eu tenho que dizer: esse dia nunca vai chegar.

Pense comigo: os nossos defeitos são diretamente associados à nossa dependência de um Salvador. Se fôssemos tão perfeitas como gostaríamos de ser, por que seria necessário o sacrifício na cruz? A quem muito foi perdoado, muito ama (Lucas 7.47). Nossas imperfeições não nos afastam de Deus; na verdade, elas nos guiam a um caminho de dependência nele!

Não sou uma pregadora perfeita; às vezes digo coisas da forma errada, às vezes acho que Deus está falando comigo e, no fundo, sou eu mesma pensando. Quando meu marido me vê pregar, no final do culto, eu já me aproximo dele dizendo: "Pode dizer... Onde eu errei? Falei alguma besteira?". Não sou perfeita mesmo!

Não devo pensar que Deus só me aceita se eu tiver um desempenho perfeito. Eu faço o meu melhor e depois descanso, porque nada pode mudar minha identidade de filha amada do Pai. O nosso melhor sempre vai ter imperfeições. No entanto, foi por isso que Jesus morreu por mim e por você, e é ele mesmo quem se encarrega de nos justificar! Lembra-se da caixinha do desempenho de que falamos no capítulo anterior? Se você resolver que só pode ser feliz quando tiver um desempenho perfeito, eis que eu mesma digo: você só vai ser feliz no céu!

Com o passar do tempo, cheguei à conclusão de que estamos em dois extremos: ou entregamos os pontos e vivemos completamente indisciplinadas; ou estamos sempre procurando o casamento perfeito, o bairro perfeito, a casa perfeita, a amiga perfeita, a igreja perfeita. A verdade é que perfeição não existe, mas devemos encontrar equilíbrio!

Vamos colocar isso em prática! Faça agora uma pequena lista dos pontos em que você é excelente na coluna da esquerda, e uma lista dos pontos em que você busca excelência à direita:

Sou excelente em	*Busco excelência em*

Se você for como a maioria das mulheres, sua lista de "Busco excelência em" é maior que a "Sou excelente em". Se não, estou bem certa de que a segunda coluna foi mais fácil de ser escrita que a primeira.

Enquanto os outros só conseguem enxergar os nossos erros, Deus ainda vê as nossas possibilidades!

Mas eu trago boas-novas! Permita-se ser imperfeita e deixe os outros serem também! É por isso que eu amo Jesus. É maravilhoso e muito reconfortante saber que, quando os outros só conseguem enxergar os nossos erros, Deus ainda vê as nossas possibilidades! Você é livre para ser imperfeita! Não precisamos provar nada a nós mesmas ou a qualquer pessoa. Se obedecermos a Deus, ele cuidará da nossa reputação.

SEJA LIVRE DA COMPARAÇÃO

Em 1Samuel 1.1-20, lemos boa parte da história de Ana, amostras de como ela vivia e também sobre as intrigas que tinha com a outra esposa do seu marido, chamada Penina. O que me chamou a atenção foi a rivalidade entre as esposas de Elcana. Penina, por conseguir engravidar, provocava Ana, que, por sua vez, ficava até sem comer de tamanha tristeza por ser estéril. No entanto, o que as duas não conseguiam perceber é que Penina se alegrava mais em provocar Ana do que em ser fértil; e Ana se entristecia tanto que não percebia quanto seu marido a amava mesmo que ela não desse filhos a ele.

Todo esse ambiente era fruto da rivalidade entre as duas. Não havia nenhum tipo de sororidade. *Sororidade* é uma palavra que vem do latim *soror*, traduzida por *irmãs*. Assim, ter sororidade significa desenvolver irmandade, empatia e união entre mulheres. É entender a dor e os motivos da outra antes de apontar o dedo. É acreditar que juntas somos melhores, mais fortes, menos fragilizadas, mais capazes.

Na sociedade brasileira, as mulheres não costumam ser ensinadas a ter sororidade. Sempre escutamos que "mulher junta não dá certo", "mulheres trabalhando juntas dá briga; e pior, só fofocam". Já acreditamos, desde muito novas, até mesmo que não existe amiga que não tenha uma "pontinha de inveja" da outra. Competição, sempre. A sororidade vai contra isso e promove uma união linda e bem similar à famosa fraternidade existente entre os homens, que protegem uns aos outros com mais facilidade, o que os torna mais parceiros entre si.

Já é tempo de acabarmos com esse estigma de que "mulher é assim mesmo". Sogra e nora estão sempre brigando pela atenção do filho ou do marido? Filhas brigando pela herança dos pais? Mães brigando para que seus filhos tenham o melhor papel no teatrinho da escola? Colegas trapaceando por uma posição no trabalho? Amigas disputando a amizade de uma terceira amiga? Mulheres preocupadas em ter o vestido mais bonito da festa? Não, não fomos criadas com esse espírito de arrogância e competição que nos cerca.

Juntas somos melhores, mais fortes,
menos fragilizadas, mais capazes.

As mulheres que você conhece não são suas inimigas, são suas irmãs. A vida não é uma grande competição na qual só uma pode pegar o primeiro lugar. A vida é muito mais que isso!

Muito mais que desempenho, disputas ou qualquer outra coisa, é sobre fluir nos relacionamentos, não sobre vencer aquelas que estão ao seu redor! O que você não tem faz você achar que a outra é rival. Caímos na armadilha da comparação porque achamos que a vida é uma competição.

Tenho um desafio para você. Pense em algumas mulheres que são extremamente importantes na sua vida e hoje decida honrá-las de alguma forma. Pode ser com uma mensagem, um presente, uma carta. Nós devemos fortalecer umas às outras, não denegrir umas às outras! Devemos nos apoiar, respeitar e amar. Escolha cinco mulheres e expresse quanto elas são especiais. Escreva aqui o nome delas e por quais motivos elas fazem parte de sua lista de gratidão. Depois, compartilhe o desafio para que elas façam o mesmo. Tenho certeza de que você irá gerar uma corrente poderosa de gratidão, gentileza e sororidade!

Nome da mulher	Motivo do agradecimento

> *"Não temos a pretensão de nos igualar ou de nos comparar com alguns que se recomendam a si mesmos. Quando eles se medem e se comparam consigo mesmos, agem sem entendimento".*
>
> 2Coríntios 10.12

> *"Cada um examine os próprios atos, e então poderá orgulhar-se de si mesmo, sem se comparar com ninguém".*
> Gálatas 6.4

Ana comparava sua vida com a de Penina. Ela pensava: "Ah, se eu tivesse filhos, seria feliz, completa e realizada!". Enquanto isso, Penina comparava sua vida com a de Ana. Ela pensava: "Ah, se Elcana me amasse como ama Ana, eu seria feliz, completa e realizada!". A verdade é que, se as coisas fossem exatamente do jeito que elas desejavam, ainda assim não se sentiriam felizes, completas e realizadas.

Nosso contentamento deve estar em Jesus, independentemente das circunstâncias. Quando estamos presas ao vício da comparação, não conseguimos ter contentamento na vida! Somente podemos comparar coisas, nunca pessoas, porque absolutamente ninguém é igual neste mundo. Deus não nos fez em série; somos seres de formação exclusiva e única. DNA, impressão digital... Você pode ter uma irmã gêmea e, mesmo assim, ela não vai ser igual a você. Ninguém pode viver a sua história, trilhar o seu caminho, ter a sua vida.

Se nem os dedos da sua mão são iguais, porque você quer ser igual aos outros? Deus nos diz que é estupidez nos compararmos aos outros. É pura tolice! Todos nós somos diferentes. Quem se compara aos outros age sem entendimento. Vivemos em um mundo tão opressor que muitas mulheres, para se sentirem especiais e aceitas, acreditam que precisam ser como outras, não como elas mesmas. É uma ditadura da cópia. Você não precisa viver essa agonia de expectativas irreais. Deus não criou você para ser uma cópia; ele a criou para ser você. E há beleza em ser você! Há autenticidade em ser quem só você foi criada para ser! Você pode até se inspirar em outras mulheres, mas você não foi chamada para ser a ovelha Dolly, não![1] Para que se comparar?

- PARE DE ESCOLHER A INVEJA

Quando nos comparamos, além de nos depreciarmos, estamos alimentando a inveja. Inveja é uma escolha. Todas as vezes que você sente inveja é porque você escolheu senti-la. Embora a inveja torne você miserável, foi você quem a escolheu. Quando você escolhe fazer comparações, Deus diz: "Não faça isso!", mas você escolhe a inveja.

Se você tem costume de comparar sua aparência física, suas roupas, seus talentos, sua família, qualquer comparação que seja com alguém, você está abrindo uma legalidade na sua vida para a inveja e a baixa autoestima. Você não precisa se comparar aos outros. Faça o seu melhor. É daí que a satisfação aparece. Nunca meça sua atuação pela dos outros.

- NÃO TENTE MUDAR SUAS CIRCUNSTÂNCIAS POR INVEJA

Quem tem baixa autoestima costuma querer mudar as circunstâncias para se sentir melhor.

1 A ovelha Dolly foi o primeiro mamífero clonado no mundo a partir de uma célula adulta, sendo uma cópia perfeita de outra ovelha. [N. do E.]

"Eles têm mais dinheiro do que nós; por isso, farei de tudo para ter mais do que eles." "O loiro dela é mais platinado do que o meu; vou fazer mais mecha." "Ela comprou um *scarpin nude*; vou comprar um *nude* e um preto."

O único problema é que, quando você chega a determinado nível, haverá sempre o próximo, um nível considerado acima. Se você estiver motivada pela inveja, irá se desgastar tremendamente. Filipenses 4.11 diz: "[...] pois aprendi a estar satisfeito com o que tenho" (*Nova Tradução na Linguagem de Hoje*).

Pegue sua Bíblia. Abra em Filipenses. Encontre o versículo 4.11 e destaque "aprendi". Não é natural estar feliz com o que temos. Fomos ensinados a estar descontentes. "Estar satisfeito" é algo que você precisa aprender; é um processo educacional. Tem mulher que é tão insatisfeita que, se você a elogiar: "Você está mais magra", receberá como resposta: "É impressão sua. Deve ser porque estou de preto". Se você disser: "Sua pele está tão boa!", poderá ouvir: "Ah, minha filha, são dois quilos de reboco". Uma das coisas que aprendi foi: "Já tenho hoje mais do que eu mereço". E assim é com você. Nós já temos mais do que merecemos, por isso podemos ser felizes em Deus.

- NÃO TENTE FORÇAR UMA MUDANÇA DE SENTIMENTOS

"Eu vou me esforçar duramente para não me comparar. Vou dar duro para não ter esse sentimento", você pode pensar. Mas é simplesmente impossível impor um sentimento a você mesma; isso não funciona. Não existe um botão que apertamos para o sentimento sumir. Deus diz que o caminho para não ter inveja, não se comparar, ter uma boa autoestima, é pela mudança de perspectiva. Ou seja, o modo como você vê a situação é que precisa mudar.

Deus não tem filho predileto; ele tem propósitos diferentes para cada um de seus filhos.

Sempre vai haver alguém que é ou está melhor do que você em alguma área. Lutar para ser a número 1 é cansativo, e você não vai conseguir nunca. Mas isso não tira o seu valor. Muitas vezes, você foca tanto no que Deus deu para outra pessoa fazer que se esquece de fazer o que ele chamou *você* para fazer. A grama do vizinho parece mais verde? E quem garante que ela não é sintética? Ninguém sabe realmente o que o outro está vivendo! Por isso, não precisamos invejar ninguém. Na verdade, deveríamos nos sentir satisfeitas por aquilo que já conquistamos. Quem não aprende a celebrar as próprias conquistas jamais se sentirá completo.

Se eu arrumo a mala para uma viagem a Gramado no inverno, coloco casaco de frio, bota, cachecol. Se o destino for o Rio de Janeiro, coloco maiô, protetor solar, vestidinho. Deus tem uma jornada para cada uma de nós percorrer. Ele já colocou em nós, na "nossa mala", os elementos que apontam para esse destino. Descubra o seu destino! Deus não tem filho predileto; ele tem propósitos diferentes para cada um de seus filhos.

SEJA LIVRE DO PAPEL DE COADJUVANTE

O mundo quer colocar em você o filtro de "coadjuvante". Ana achava que era coadjuvante na história de sua família justamente por Penina ter filhos e ela não. A Bíblia fala que Penina sempre lembrava Ana de que Deus a deixara sem filhos. É como se Penina estivesse evidenciando que a Ana cabia o segundo lugar, o papel da coadjuvante, o papel do reserva e não do titular, entende? No entanto, lá no início do capítulo, quando somos apresentadas a Elcana e sua família, está escrito:

> *Ele tinha duas mulheres; uma se chamava Ana, e a outra Penina.*
>
> 1Samuel 1.2

Penina é que foi identificada como a "outra" ou a "segunda" mulher. E, até mesmo na hora de servir a porção do sacrifício, Elcana entregava uma porção dupla a Ana! Realmente é só uma questão de perspectiva. Apesar de receber privilégios de quem é protagonista, Ana se via como alguém que havia sido esquecida no banco de reservas. Da mesma forma acontecia com Penina. Ela era protagonista de sua própria história, mas não parecia satisfeita até que Ana se sentisse coadjuvante.

Geralmente, a sociedade diz que a mulher precisa de alguém para ser grande; ela precisa se casar com um grande homem para ser uma grande mulher. Entenda: eu não estou defendendo que você não precisa de ninguém, pois precisamos uns dos outros, todos precisamos de outros. No entanto, há mulheres, e não são poucas, que acham que não podem dar uma guinada na sua vida, acham que não pode ser protagonistas da sua história, acham que para conquistar algo dependem de A, B ou C.

Na vida, ou temos resultados, ou temos desculpas. Se fôssemos tão bons em apresentar resultados como somos em arranjar desculpas, faríamos uma revolução onde estamos inseridas. Muitos alunos tentam justificar uma nota baixa porque, supostamente, a professora não vai com a cara deles, em vez de reconhecer que não estudaram. Em geral, a grande maioria dos fracassos vem de pessoas que têm o hábito de dar desculpas para tudo que acontece. Essas pessoas deveriam trabalhar mais suas limitações para crescer e alcançar resultados melhores. No entanto, preferem o caminho mais curto, o das desculpas. Realmente, é muito mais fácil apontar o dedo para os outros, delegar a responsabilidade da sua vida a outrem, do que assumir: "Eu preciso melhorar!". Percebe como Ana apontava o dedo para Penina e vice-versa?

Se você não tem um bom exemplo na sua família, seja você o exemplo!

Devemos trabalhar com aquilo que Deus colocou nas nossas mãos. Se a vida deu a você limões, então faça uma deliciosa limonada. Saia da posição de vítima, da cadeira de balanço. Pare de se fazer de coitada! "Ah! Porque a família em que nasci...".

Eu podia gastar horas aqui escrevendo sobre o que meu pai fez:

- *traiu minha mãe;*
- *separou-se dela quando eu tinha 3 anos;*
- *nunca me ligou no meu aniversário;*
- *nunca esteve presente na minha vida;*
- *e por aí vai!*

Minha mãe criou e educou sozinha cinco filhos. Mas, se eu gastar meu tempo com isso, nunca sairei da cadeira de balanço.

Se você não tem um bom exemplo na família, seja você o exemplo. Seja você a protagonista da sua história! Pare de terceirizar sua felicidade e sua satisfação em outras pessoas. Sabe, Davi não tinha ninguém que acreditasse nele, ninguém que lhe incentivasse, lhe impulsionasse. Para falar a verdade, até mesmo quem deveria amá-lo, seu próprio pai, o esqueceu. E aí, o que Davi fez? Ficou na cadeira de balanço se lamentando por toda a vida? Não! Ele mesmo acreditou no seu potencial!

Acreditar em si mesmo é viver conforme o poder de Deus que há dentro de você!

Quando não acreditamos em nós mesmas, na verdade, estamos *não* acreditando em Deus, pois ele age por meio da nossa fé! Ana clamou! Ana creu! Ana fez um voto! Ana parou de olhar para Penina e voltou aos olhos para aquele que poderia conceder o desejo de seu coração! E Ana teve seu clamor de fé atendido! No entanto, o mundo está cheio de mulheres que escolhem ser vítimas: "Ah! Porque você não sabe o que eu já passei...".

A Bíblia nos conta a história de um homem que nasceu cego (João 9). Algumas pessoas perguntaram a Jesus: "Mestre, quem pecou: este homem ou seus pais, para que ele nascesse cego?" (João 9.2). Eles tentavam encontrar alguém para culpar ou um motivo de desculpa para aquele homem.

Temos essa mesma tendência hoje. Por isso, eu amo a maneira como Jesus respondeu aos discípulos: "Nem ele nem seus pais pecaram, mas isso aconteceu para que a obra de Deus se manifestasse na vida dele" (João 9.3). Jesus está ensinando para mim e para você que, quando enfrentarmos uma adversidade ou quando a vida nos der um duro golpe, não devemos ficar amargas; não podemos deixar que o problema ou que outra pessoa se torne protagonista da nossa história; não devemos sair culpando outras pessoas pelos "perrengues" que passamos. Por isso, não pare! Deus pode usar sua vida mesmo que na sua mente haja uma lista extensa de limitações. Deus sempre potencializa aqueles que estão dispostos a servi-lo. Por que com você seria diferente?

Reconheça que você é um excelente candidato por meio de quem Deus pode demonstrar o seu favor e a sua bondade. Se você acha que está em desvantagem ou que é limitado, em vez de dizer: "Isso não é justo, Deus!", tenha ousadia para declarar: "Deus, estou pronto! Sei que o Senhor tem algo grande reservado para mim. Recuso-me a viver derrotada e deprimida. Essa aparente desvantagem será mais uma oportunidade para o Senhor entrar em cena e mostrar o seu amor por mim".

Foi exatamente isso que Tony Melendez fez. Li sobre a história dele certa vez e queria compartilhar com vocês. Ele nasceu sem os braços, mesmo assim queria tocar guitarra. Algo dentro dele dizia que ele deveria compor e cantar músicas. Tony poderia ter dado várias desculpas, afinal, não tinha os braços. No entanto, ele aprendeu a tocar guitarra com os dedos dos pés! Hoje viaja o mundo inteiro fazendo *shows*. Que atitude, que garra, que força de vontade! Eu amo pessoas que agem assim, que perseguem seus objetivos mesmo quando todas as circunstâncias dizem que não.

Quando Deus desperta um sonho ou uma promessa no seu coração, ele deposita tudo o que é necessário para que se realize! Deus não teria dado ao Tony o desejo de tocar guitarra sem lhe dar a habilidade. Ele não nasceu para ser coadjuvante da própria história; a deficiência não seria protagonista. Humanamente falando, não ter os braços pode parecer uma deficiência. Mas eu sei que, em Deus e para Deus, não existem deficiências.

Quando ele criou você e eu, ele não estava num dia ruim. Deus me criou com um propósito e um destino para cumprir; e farei o meu melhor para honrá-lo. A maioria das pessoas nunca precisou lidar com nada tão desafiador como a ausência de membros que Tony enfrenta. Entretanto, as pessoas costumam deixar que problemas mais comuns — como um divórcio, a perda de um emprego, desafios financeiros, frustrações com pessoas — as oprimam.

Eu já passei por uma fase de cadeira de balanço. Senti-me tentada em ser coadjuvante da minha história. Quando comecei no ministério com meu marido Arthur (que na época era meu noivo), eu olhava para ele e entrava em desespero. Porque ele era tão manso e calmo. Falava devagar e ouvia a todos com tanta paciência. O mundo podia estar explodindo, mas ele não perdia a concentração por nada.

Ele era muito querido, e as pessoas o amavam. Então, eu dizia: "Deus, o Senhor precisa me transformar com urgência! Eu estou em desvantagem. Sou muito intensa, falo rápido e, enquanto todo mundo está na conversa, eu já passei do assunto e estou lá na frente". Quem me conhece sabe que sou assim. Ficar muito tempo em um assunto é difícil para mim, porque, dentro de mim, eu já resolvi e quero entrar em outro tema.

Eu costumo dizer que sou uma máquina em constante aceleração. Eu achava que tinha que ser lenta, mansa e de fala doce, como Arthur. Até que comecei a imaginar dois "Arthur" juntos... Naquele momento, percebi que Deus havia me criado assim de propósito! Um completaria o outro!

Você conhece a história de Zaqueu? Ele era baixinho, por isso imagino que quisesse ser como as pessoas mais altas. Mas entenda: Deus nos fez como somos com um propósito. Se Zaqueu fosse do tamanho médio da sociedade, ele nunca subiria em uma árvore, nem teria chamado a atenção de Jesus no meio de uma multidão exatamente por estar em cima de uma árvore. Então, por que você está reclamando de ser pequena?

Certa vez, eu ouvi uma história que nunca esqueci. Era sobre um jovem atleta que, embora não tivesse uma das mãos, queria jogar futebol americano. Então, o médico do clube perguntou a ele: "Qual a sua deficiência?". "Nenhuma, senhor. Eu não tenho deficiência; apenas não tenho a mão direita", respondeu ele. Eu amo essa atitude!

"Não, eu não tenho deficiência, apenas toco guitarra com os pés." "Não, eu não tenho deficiência; apenas sou mais acelerada e intensa do que algumas pessoas." "Não, eu não tenho deficiência; apenas não sou tão alto como os outros."

Adote uma perspectiva mais elevada de você. Pare de se fazer de coitada! Pare de se lamentar e ficar dando desculpas! Você não é vítima! Não existem desvantagens quando Deus está do nosso lado, porque tudo coopera para o nosso bem (Romanos 8.28). Eu encorajo você a viver sem se apoiar em desculpas. Olhe para o que você pode fazer, foque nos seus dons. Recuse-se a ter pena de si mesma.

"Na vida, tudo é uma questão de ponto de vista. Para formiga, gota de chuva é tsunami." Você pode ser protagonista da sua história, não importa o que tenha enfrentado!

Vamos montar um plano de ação agora!

Quais são as áreas da sua vida das quais você precisa tomar as rédeas? Sobre o que você fica se lamentando e dando desculpas para não seguir em frente?

Agora, os seus dons! Quais são eles? Não sabe? Pense naquelas coisas que naturalmente você faz com maestria e que são voltadas para o próximo! Não importa quanto já tenham falado para você que não era o suficiente. A forma mais simples é começar com uma lista de tarefas práticas que podem mudar sua perspectiva! Desde aquela gaveta cheia de papéis para a qual você nunca olha e fica se julgando desorganizada quando precisa de um deles e não encontra; passando por aquelas roupas no armário que podem ser levadas a um bazar beneficente; até aquela ligação para uma amiga para a qual você está devendo uma visita há anos! Faça uma lista simples, fácil e prática e veja quanto você pode realizar quando você escolhe ser protagonista da sua história!

CAPÍTULO 3

SINGULARIDADE

Comece hoje a receber o amor!

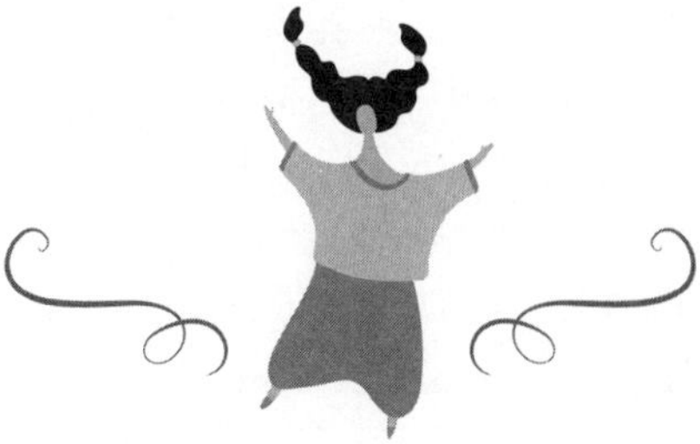

O SENHOR disse a Samuel: "Até quando você irá se entristecer por causa de Saul? Eu o rejeitei como rei de Israel. Encha um chifre com óleo e vá a Belém; eu o enviarei a Jessé. Escolhi um de seus filhos para fazê-lo rei".

Samuel, porém, disse: "Como poderei ir? Saul saberá disto e me matará". O SENHOR disse: "Leve um novilho com você e diga que foi sacrificar ao SENHOR. Convide Jessé para o sacrifício, e eu mostrarei a você o que fazer. Você irá ungir para mim aquele que eu indicar".

Samuel fez o que o SENHOR disse. Quando chegou a Belém, as autoridades da cidade foram encontrar-se com ele, tremendo de medo e perguntaram: "Você vem em paz?"

Respondeu Samuel: "Sim, venho em paz; vim sacrificar ao SENHOR. Consagrem-se e venham ao sacrifício comigo". Então ele consagrou Jessé e os filhos dele e os convidou para o sacrifício. Quando chegaram, Samuel viu Eliabe e pensou: "Com certeza este aqui é o que o SENHOR quer ungir".

O SENHOR, contudo, disse a Samuel: "Não considere a sua aparência nem sua altura, pois eu o rejeitei. O SENHOR não vê como o homem: o homem vê a aparência, mas o SENHOR vê o coração".

Então Jessé chamou Abinadabe e o levou a Samuel. Ele, porém, disse: "O SENHOR também não escolheu a este". Em seguida Jessé *levou Samá a Samuel, mas este disse: "Também não foi este que o* SENHOR *escolheu". Jessé levou a Samuel sete de seus filhos, mas Samuel lhe disse: "O* SENHOR *não escolheu nenhum destes". Então perguntou a Jessé: "Estes são todos os filhos que você tem?"*

Jessé respondeu: "Ainda tenho o caçula, mas ele está cuidando das ovelhas". Samuel disse: "Traga-o aqui; não nos sentaremos para comer enquanto ele não chegar".

Jessé mandou chamá-lo, e ele veio. Ele era ruivo, de belos olhos e boa aparência.

Então o Senhor disse a Samuel: "É este! Levante-se e unja-o".

1Samuel 16.1-12

RECONHEÇA QUE VOCÊ É AMADA

Ao longo de todo este capítulo, vamos falar sobre episódios da vida de alguém que reconhecia sua singularidade e tinha sua identidade firmada em Deus: Davi. Com certeza você já ouviu relatos sobre seus grandes feitos. Porém, mesmo conhecendo a história de Davi, um improvável, às vezes nós ficamos impressionadas com as pessoas que Deus está usando ou achamos que ele nunca poderia nos usar. Acabamos nos esquecendo de que o Senhor tem uma perspectiva diferente da nossa. Ele olha de dentro para fora. Os mais improváveis, aqueles em que não vemos o menor "sentido" em ocupar a posição que ocupam, aqueles que foram esquecidos, rejeitados, humilhados. Nosso Deus é especialista em usar de forma singular e poderosa justamente os que estão às margens da sociedade, escondidos por detrás das malhadas.

Deus pode odiar o que você faz e, mesmo assim, amar você intensamente.

Seu coração e o modo como você reconhece o amor de Deus determinarão até onde você irá. Esse era o segredo de Davi: o coração! Precisamos ser desenvolvidos no secreto e adquirir a maturidade de filhos que compreendem quanto são amados pelo Pai. É isso que Deus deseja fazer com você hoje. Ainda que seja com o nosso entendimento humano limitado, devemos reconhecer, receber e aceitar o amor do Senhor por nós. Davi entendeu isso! Mesmo com todos os obstáculos e guerras que travou, no final do dia, ele tinha a certeza do amor de Deus.

Sabe, ninguém nos conhece tão bem quanto Deus. Além de saber tudo sobre nós, inclusive os nossos erros, Deus ainda nos aprova e nos aceita. Ele não concorda com o nosso comportamento errado, mas está comprometido conosco como seus filhos. Talvez você ainda não tenha recebido o amor de Deus porque pensa que é impossível que ele ame você com seus defeitos e pecados. Você precisa entender que Deus pode odiar o que você faz e, mesmo assim, amar você intensamente.

Jessé não se esqueceu de você, ele a colocou nos processos de Deus para forjar sua transformação de pastor de ovelhas a matador de gigantes e rei de Israel!

Acredite que Deus ama você! Ele não espera até que estejamos aperfeiçoados para nos amar. Ele nos ama incondicional e completamente o tempo todo. Ele a ama no lugar onde você já está. Ele não espera você chegar ao topo, ao local de destaque, ao palácio. Ele ama você por detrás das malhadas, cuidando das ovelhas ou onde quer que você esteja! Precisamos crer e receber esse amor incondicional.

Talvez você olhe a história de Davi e pense: "Uau! Como Davi foi amado por Deus! Mesmo quando Jessé não se lembrou do próprio filho, Deus fez com que o profeta o ungisse como rei". Mas lembra-se do que eu falei sobre Deus não ter filhos prediletos? Davi não era "mais amado"; no entanto, ele reconhecia o amor de Deus ali mesmo no cenário "simples" em que estava, e isso fazia que o seu coração estivesse posicionado no lugar certo para viver as promessas do Senhor. Posicionamento faz toda diferença! E quem reconhece quanto é amado, está posicionado para viver os sonhos de Deus.

A verdade é que todo mundo precisa de um Jessé na vida. Deixe-me dizer uma coisa: as pessoas que se esqueceram de você foram Jessé na sua história e era necessário que você passasse por tudo isso para que reconhecesse o amor de Deus e entendesse que ele nunca se esqueceu de você. O esquecimento de Jessé ensinou Davi a depender de Deus, a ter humildade. O esquecimento de Jessé ensinou Davi a lutar sozinho contra ursos e leões, o que seria o seu primeiro treinamento. O esquecimento de Jessé ensinou Davi a adorar a Deus, a ter a resiliência para fazer a mesma atividade, considerada tão medíocre e comum, todos os dias. O esquecimento de Jessé ensinou Davi a esperar o tempo certo e a ter a gratidão de reconhecer de onde ele saiu. *O seu Jessé* não se esqueceu de você, ele a colocou nos processos de Deus para forjar sua transformação de pastor de ovelhas a matador de gigantes e rei de Israel.

> *"[...] porque Deus derramou seu amor em nossos corações, por meio do Espírito Santo que ele nos concedeu."*
>
> Romanos 5.5

A Bíblia nos ensina que o amor de Deus foi derramado em nosso coração pelo Espírito Santo. Isso significa que, quando o Espírito vem habitar em nosso coração por causa da fé em Jesus, ele traz consigo o amor, porque Deus é amor.

Muitas mulheres não conseguem ser amorosas, gentis, boas filhas, boas esposas e nem mesmo boas mães, porque não compreendem a raiz do seu problema. Deus quer nos revelar a natureza dos nossos problemas e a resposta para eles, que está na Palavra. Quando conseguimos conectar o problema com a revelação bíblica, significa que o Diabo está no caminho de saída, e o caminho da libertação está na porta de entrada da nossa vida.

Talvez o seu problema persista até hoje porque você só creu no amor de Deus, mas não o recebeu. Por que algumas coisas parecem que nunca melhoram em nossa vida? Porque somente tentamos lidar com os frutos ruins e nunca chegamos à raiz do que precisa ser tratado. E, se o problema permanecer na raiz, os frutos ruins voltarão. Não importa quantas vezes lancemos fora esse tipo de fruto, eventualmente ele voltará. Esse ciclo vicioso é muito frustrante.

É preciso conhecer a raiz do problema, pois somente assim poderemos colher frutos saudáveis. Deus pôs este livro em suas mãos porque quer revelar a raiz do seu problema e libertar sua vida de uma vez por todas.

Talvez o seu maior problema seja a falta de amor!

Quando você falha em demonstrar um comportamento amoroso pelo próximo, não se sente única e especial. Se você não ama, logo não será amada e não conseguirá se ver como alguém especial. No entanto, você precisa entender que não pode dar algo que não tem! O problema, na verdade, é que você não está recebendo o amor de Deus; por isso, não está sendo capaz de dar amor. A certeza de que somos amadas por Deus, ao recebermos seu amor, gera o fluir do amor em nossa vida.

É chegada a hora de aprender a receber o amor de Deus! Porque, quando recebemos esse amor, Deus inicia um ciclo que abençoará não apenas a nós, mas também a todos os que estão ao nosso redor. O plano de Deus sempre foi este: que recebamos o seu amor, que amemos a nós mesmas de maneira equilibrada, que o amemos de todo nosso coração, alma e forças, e que amemos as pessoas ao nosso redor.

Será que estamos seguindo esse plano? Acredito que estamos bem longe disso. Se não amamos com o nosso amor, que dirá com o amor de Deus! Você quer ser única, exclusiva e especial? Então, comece amando quem está perto de você: família, amigos, irmãos em Cristo, colegas de trabalho. Você vai se destacar, eu garanto! Não se esqueça de que não tínhamos nenhum amor para oferecer antes de Deus nos amar primeiro. Deus nos amou primeiro, e isso nos tonou capazes de amar também! Esteja certa do amor de Deus por você e se ame! Quem sabe, você pense: "Se eu não mesma gosto nem de mim, como vou conseguir amar os demais?".

Deixe-me dizer algo muito importante: Se Deus ama você, então você consegue amar aqueles que estiverem em sua vida. Não há desculpas. Se o amor do Pai está em você, dê o primeiro passo; comece a praticar o amor. Muitas vezes, não conseguimos amar simplesmente porque levamos um estilo de vida egoísta; só nos preocupamos conosco mesmas. Deus quer que você viva de maneira equilibrada, inspirada por ele. Sim, é possível se sentir profundamente amada por Deus, bem como dedicar esse amor aos outros.

Não deixe para amanhã! Aceite hoje mesmo o amor de Deus por você. Assim, poderá dizer sem medo: "Estou crescendo... Meus erros não fazem que eu seja menos amada por Deus. Embora ele esteja me transformando diariamente, seu amor me preenche agora mesmo. Não vou rejeitar o que Deus aceita!". Certa vez, ouvi que a certeza do amor de Deus gera satisfação nele. Essa é uma grande verdade! A ela acrescento: além disso, a certeza de ter o amor de Deus produz confiança.

A confiança depende de quanto nos sentimos amadas. Eu não confiaria no meu marido se não tivesse a certeza de que sou muito amada por ele. Muitas vezes, Deus vai conduzir você por caminhos que não poderá entender. Durante esses momentos, você precisa reconhecer o amor de Deus em sua vida. Pois, sem amor, não há confiança; sem confiança, você se sentirá perdida. É o amor de Deus que sustentará sua vida durante esses momentos em que nada parece dar certo.

O apóstolo Paulo estava convencido de que nada seria capaz de separá-lo do amor de Deus (Romanos 8.38,39). Precisamos ter essa mesma certeza, porque essa é a verdade. Aceite o amor de Deus por você e faça desse amor o fundamento para o seu amor por si mesma e pelos outros.

Nada também será capaz de separar você do amor do Pai. Você é alvo do amor de Deus por sua vida e pode expressar esse amor pelos que estão à sua volta. Neste momento, provavelmente veio uma pergunta à sua mente: "É possível expressar esse amor mesmo quando as circunstâncias são contrárias?". O que eu digo a você é que nem sempre será fácil. No entanto, diariamente, assim como um exercício, você deve celebrar os detalhes que a cercam e são fruto da graça de Deus: o ar que você respira, a sua família, o dom da vida.

Também precisamos ser gratas independentemente do que estamos vivendo. Para isso, temos de nos lembrar sempre do que Deus já fez em nossas vidas. Como cristãos, acabamos passando por amnésias espirituais. No meio das aflições parece que é mais difícil lembrar dos incontáveis atos de bondade que o Senhor demonstrou por nós durante toda a nossa jornada. Por isso, precisamos trazer à nossa memória tudo que já vivemos e dizer para nós mesmas quanto somos agraciadas e amadas pelo Pai!

Acredito que a melhor forma de compartilhar o amor que recebemos do Pai é amando as pessoas livre de expectativas e livre da busca por recompensas. Quando amamos genuinamente, não esperamos nada em troca, sabe? Fazemos o que fazemos, somente porque amamos.

O amor é suficiente em si mesmo, o sentimento mais puro que você pode escolher ter. Não precisa de justificativas, explicações, motivações. Recebemos o amor do Pai porque ele é bom. E compartilhamos esse amor da mesma forma! Sem olhar a quem, sem esperar recompensas ou reconhecimento. Mesmo que ainda não sinta que tem amor pelas pessoas ao seu redor, você pode exercitar atitudes de amor e, assim, o sentimento começará a fluir do seu coração. Como? Elogie alguém, faça uma surpresa, libere palavras de vida, ore pelas pessoas. É simples: imite o próprio Amor que veio à terra. Sempre pergunte a si mesma: o que Jesus faria nesta situação?

Agora é a sua vez! Escreva uma carta para Deus. Escreva sobre o que a impedia de aceitar o amor de Deus por você e, a partir deste momento, tenha a certeza de que você recebeu o amor dele. Faça uma declaração real e sincera, um compromisso de que você irá aceitar o amor do Pai.

RECONHEÇA QUE VOCÊ NÃO É O QUE FAZ

Se realmente desejamos ter sucesso em ser únicas, precisamos compreender o que nos justifica diante de Deus. Efésios 2.8,9 faz uma declaração extraordinária sobre isso: “Pois vocês são salvos pela graça, por meio da fé, e isto não vem de vocês, é dom de Deus; não por obras, para que ninguém se glorie”. Com isso, podemos facilmente concluir que as nossas qualidades não podem fazer que Deus nos ame mais; nem os nossos defeitos podem fazer com que Deus nos ame menos. Simples assim.

Nossas qualidades não podem fazer com que Deus nos ame mais, nem os nossos defeitos podem fazer com que Deus nos ame menos.

Davi fez muitas coisas que inspiram gerações e gerações. Ele matou Golias, venceu inúmeras batalhas, foi fiel, humilde e obediente em várias situações. Mas Deus não o amou mais por nenhum desses feitos. Davi também teve seus momentos de erros, assim como eu falei no início do capítulo; porém, Deus não o amou menos por nenhum de seus pecados. Em nenhum momento, Deus deixou de amá-lo. Assim é conosco! O problema é que muitas vezes não reconhecemos esse amor. Quero deixar claro que o amor exagerado de Deus por nós não é uma muleta para o pecado, mas um impulso para a santidade! Assim como não entender o amor exagerado de Deus por nós se torna uma trava no nosso destino e resulta em uma vida inferior àquela a que foi sonhada pelo nosso Pai.

O amor exagerado de Deus por nós não é uma muleta para o pecado, mas um impulso para a santidade!

Muitas mulheres gastam uma parte considerável da vida, talvez a vida inteira, se sentindo mal sobre de si mesmas. Porque o mundo parece nos dizer o tempo todo que o nosso valor está ligado àquilo que fazemos. Sempre alguém se aproxima para perguntar coisas como: “O que você faz para ganhar a vida?”.

É muito comum que os pais comparem o desempenho das crianças. "O filho do vizinho só tira nota boa", "Seu primo é tão educado... Por que você não é como ele?". Com isso, essas crianças vão crescendo com o peso gigantesco de ter que suprir às expectativas dos outros. Quando se tornarem adultas, pensarão que somente serão aceitas pelos outros, e até por Deus, se fizerem algo muito importante.

Esse tipo de comparação só deixa as pessoas esgotadas, exaustas, confusas. Em alguns casos, até mentalmente doentes. É por isso que os consultórios de psicologia e psiquiatria estão sempre lotados. No fundo, no fundo, essas pessoas só querem desabafar, abrir o coração para alguém que as entenda sem tecer uma rede de críticas. Querem se sentir acolhidas. Como não receberam afirmação de seus pais ou familiares na infância, sentem-se profundamente imperfeitas e insuficientes na vida adulta. Isso pode começar ainda na pré-adolescência e, se esse sentimento de falta de amor for persistente, pode causar danos terríveis por toda a vida.

No entanto, Deus tem algo muito maior para nós!

> *[...] pois não temos um sumo sacerdote que não possa compadecer-se das nossas fraquezas, mas sim alguém que, como nós, passou por todo tipo de tentação, porém, sem pecado. Assim, aproximemo-nos do trono da graça com toda a confiança, a fim de recebermos misericórdia e encontrarmos graça que nos ajude no momento da necessidade.*
>
> Hebreus 4.15,16

Existem algumas palavras-chave nesse texto: compadecer, graça, confiança, receber e misericórdia. Aqui vai a verdade maravilhosa que irá transformar sua vida: Jesus entende você! Ele nos entende e se compadece até quando não entendemos a nós mesmas, porque ele vê o que está por trás de tudo.

As pessoas só veem o que fazemos. Jesus sabe por que fazemos. Ele olha em nossos olhos e se lembra de todas as feridas e dores emocionais que sofremos no passado. Ele sabe e conhece cada medo, insegurança, dúvida e pensamento distorcido que temos a respeito de nós mesmas.

Jesus entende você. Ele conhece a sua história. Ele aceita você por quem você é, não pela sua *performance*! A verdade é que a aceitação de Deus está fundamentada no desempenho de Jesus, não no nosso. Você não é única porque faz algo especial para Deus; é graça! É impossível merecer favor; caso contrário, não seria favor, não é mesmo? Um favor é algo que alguém faz por bondade, não porque merecemos.

Vamos ver com detalhes uma parte da história de Davi. Davi colocou Urias à frente do exército para combater o inimigo em campo de batalha porque Davi queria usurpar a mulher de Urias, Bate-Seba, mesmo tendo todas as mulheres solteiras de seu reino à disposição, além das esposas que já eram dele. Veio a ele o profeta Natã e o exortou. Veja o que aconteceu quando Davi caiu em si:

> *Então Davi disse a Natã: "Pequei contra o SENHOR!"*
> *E Natã respondeu: "O SENHOR perdoou o seu pecado. Você não morrerá."*
>
> 2Samuel 12.13

Davi recebeu a graça imerecida de Deus!

É claro que Deus se preocupa com os nossos comportamentos errados, pois ele quer que façamos boas obras. No entanto, isso não quer dizer que dependamos delas para receber o favor de Deus. Deus nos ama! Ele está sempre pronto para nos perdoar dos nossos erros. E ele espera que façamos boas obras como resultado do amor que sentimos por ele, entende? Além disso, ele quer que as nossas ações sejam uma resposta ao que ele já fez por nós, para nós e em nós.

Há momentos em que fazemos coisas boas pelos motivos errados. Não percebemos que os nossos motivos são importantíssimos para Deus. Às vezes, lemos a Bíblia todos os dias só porque queremos que o Senhor fique satisfeito conosco. Ao agir assim, a leitura se torna um fardo insuportável. E, no primeiro dia em que não conseguimos cumprir esse objetivo, nós nos sentimos culpadas. Por quê? Porque estamos lendo a Palavra de Deus com a intenção errada. A nossa motivação precisa ser inspirada pelo Espírito, que vivifica tanto o estudo da Bíblia quanto a busca pela presença de Deus.

Você precisa começar a ler pelos motivos certos. Deus já conhece a Bíblia, então, você não precisa ler para ele. Leia para você mesma! Só assim você saberá o que Deus quer que você faça! A leitura de apenas um versículo — com a compreensão somada à prática — é mais importante do que ler dez capítulos e não se lembrar de nada no dia seguinte. Cuidado para não ficar tão envolvida em "fazer" e terminar se esquecendo de "ser"! Somos chamados de seres humanos porque devemos "ser"; caso contrário, seríamos chamados de "fazeres" humanos.

Lembre-se de que precisamos também guardar nosso coração! Precisamos ter muito cuidado com necessidades que possam se tornar desenfreadas! Eu sou muito adepta de conhecer, de aprender tudo o que puder, mas não permito que a minha educação faça de mim uma pessoa orgulhosa. Deus não nos usa porque somos instruídas, mas porque o nosso coração está voltado para ele. Você pode ter uma voz linda e cantar muito bem; contudo, Deus não irá usar você por causa da voz. Para Deus, o que importa mesmo é o seu coração! Guarde o seu coração!

Eu já estudei tanto! Fiz duas graduações, Direito e Sociologia. Tinha semestre em que eu "pagava" 14 cadeiras na universidade. Quando uma delas entrava em greve, todo mundo reclamava; eu dava glória a Deus, porque seria um tempo para descansar a mente. Depois inventei de fazer uma pós-graduação antes de terminar a graduação.

Eu era a única aluna não graduada que fazia pós-graduação. Eles me aceitaram por causa do meu currículo. Mas nada do que eu estudei fez Deus me usar mais ou menos. Deus não nos usa por causa da nossa instrução; ele nos usa por causa do nosso coração. Eu acredito que o que fez a diferença na minha vida, o que fez o favor de Deus me alcançar, foi quanto eu o amava, quanto queria servi-lo, quanto fui capaz de abrir mão de tantos sonhos por ele.

Pare de se sentir condenada e fracassada o tempo todo por causa do seu desempenho! Em vez de ficar olhando o que está errado em você, comece a desenvolver um relacionamento com Deus! Há muitas mulheres que, quando vão orar, passam a maior parte do tempo contando para Deus quanto são terríveis e gastam tempo se lamentando por serem assim. Aí, no final, prometem melhorar, porém nunca conseguem.

Romanos 8.1 diz que já não há condenação para os que estão em Cristo Jesus. Portanto, pare de querer estar certa o tempo todo em tudo. Saiba quem você é em Deus e permita que ele ajude você a fazer pelos motivos certos. Se ficar pensando que Deus aceita você pelo que você faz, quando falhar, se sentirá sempre rejeitada. Por isso, cuide bem do seu coração e reconheça que você não é o que faz. Guarde o seu coração no Pai, e ele agirá em você e através de você!

RECONHEÇA A VOZ CORRETA

> *Davi disse a Saul: "Ninguém deve ficar com o coração abatido por causa desse filisteu; teu servo irá e lutará com ele".*
>
> *Respondeu Saul: "Você não tem condições de lutar contra este filisteu; você é apenas um rapaz, e ele é um guerreiro desde a mocidade".*

Davi, entretanto, disse a Saul: "Teu servo toma conta das ovelhas de seu pai. Quando aparece um leão ou um urso e leva uma ovelha do rebanho, eu vou atrás dele, dou-lhe golpes e livro a ovelha de sua boca. Quando se vira contra mim, eu o pego pela juba e lhe dou golpes até matá-lo. Teu servo pôde matar tanto um leão e um urso; esse filisteu incircunciso será como um deles, pois desafiou os exércitos do Deus vivo. O SENHOR que me livrou das garras do leão e das garras do urso me livrará das mãos desse filisteu".

Diante disso Saul disse a Davi: "Vá, e que o SENHOR esteja com você".

Então Saul vestiu Davi com sua própria túnica. Colocou-lhe uma armadura e um capacete de bronze na cabeça. Davi prendeu sua espada sobre a túnica e tentou andar, pois não estava acostumado com aquilo. E disse a Saul:

"Não consigo andar com isto, pois não estou acostumado". Então tirou tudo aquilo, e em seguida pegou seu cajado, escolheu no riacho cinco pedras lisas, colocou-as na bolsa, isto é, no seu alforje de pastor e, com sua atiradeira na mão, aproximou-se do filisteu.

Enquanto isso, o filisteu, com seu escudeiro à frente, vinha se aproximando de Davi. Olhou para Davi com desprezo, viu que era só um rapaz, ruivo e de boa aparência, e fez pouco caso dele. Disse ele a Davi: "Por acaso sou um cão para que você venha contra mim com pedaços de pau?" E o filisteu amaldiçoou Davi invocando seus deuses, e disse: "Venha aqui, e darei sua carne às aves do céu e aos animais do campo!"

Davi, porém, disse ao filisteu: "Você vem contra mim com espada, com lança e com dardos, mas eu vou contra você *em nome do Senhor dos Exércitos, o Deus dos exércitos de Israel, a quem você desafiou. Hoje mesmo o SENHOR o entregará nas minhas mãos, e eu o matarei e cortarei a sua cabeça. Hoje mesmo darei os cadáveres do exército filisteu às aves do céu e aos animais selvagens, e toda a terra saberá que há Deus em Israel. Todos os que estão aqui saberão que não é por espada ou por lança que o SENHOR concede vitória; pois a batalha é do Senhor, e ele entregará todos vocês em nossas mãos".*

1Samuel 17.32-47

Nesse trecho que lemos é contada a história da batalha entre Davi e Golias, um gigante que estava ameaçando a todos e foi vencido pelo mais improvável entre os homens. Todos duvidaram dele quando afirmou que lutaria contra o gigante. Ninguém estava no seu lado da torcida. Ninguém via alguma possibilidade de vitória.

O rei Saul, tentando ajudar, mandou Davi vestir trajes de guerreiro reais, no entanto Davi sabia que nenhuma armadura era capaz de vencer a guerra; só o Senhor poderia fazer dele um vencedor! Sabe, algumas pessoas vão querer colocar você na armadura delas. Elas vão achar que têm todas as respostas e fórmulas de que você precisa. Conselhos e orientações são muito importantes ao longo da vida, mas você tem que discernir bem qual voz irá ouvir. Talvez você possa estar pensando: "Mas como eu vou identificar a voz correta? A voz de Deus?". Se você já me viu pregar algumas vezes, com certeza sabe como é minha voz e o sotaque nordestino que ecoa enquanto eu falo. Se me ouvisse, mesmo de longe, reconheceria, certo? Com Jesus acontece da mesma forma! Invista tempo em conhecê-lo, em ter intimidade com ele, que será simples identificar sua voz e saber o que fazer.

Davi trocou uma armadura, a armadura do rei, por um cajado, cinco pedras e uma atiradeira. Agora, por que ele pegou cinco pedras? Porque não era arrogante e sabia que poderia errar na primeira, na segunda, na terceira vez. Davi sabia que ser eficiente não é, necessariamente, acertar em todas. É acertar!

Note que nenhum desses instrumentos eram bonitos, nem caros, nem importantes, nem nobres... Mas eram o que Davi sabia usar muito bem. Sabe o que o cajado, a atiradeira e as pedras lhe davam? Identidade e segurança. Toda vez que você escuta a voz correta e usa as armas certas, feitas para você, tudo dá certo.

As armas do cristão estão em Efésios 6.1-10. É provável que você se sinta todo desajeitado com as suas armas atuais porque esteja usando as armas erradas. Ignore o que as pessoas que não a conhecem pensam e falam sobre você. Veja o que o gigante Golias disse a Davi momentos antes da batalha:

> *Enquanto isso, o filisteu, com seu escudeiro à frente, vinha se aproximando de Davi. Olhou para Davi com desprezo, viu que era só um rapaz, ruivo e de boa aparência, e fez pouco caso dele.*
>
> 1Samuel 17.41,42

Você já foi desprezada? Sofreu preconceitos? Discriminação? Ignore. Voe mais alto! Só dê valor ao que merece! O que as pessoas pensam e falam é parcial, tendencioso e influenciado. O que importa para Deus é quem você é. Não é o que você faz, mas a motivação do seu coração! Quando damos valor ao que não merece, permitimos ser levados pela correnteza; qualquer coisa nos influencia, qualquer coisa muda o nosso rumo. Quando ignoramos o que nos aconteceu de ruim e decidimos focar só na voz de Jesus, voamos mais alto!

Toda vez que você escuta a voz correta e usa as armas certas, feitas para você, tudo dá certo.

Quais são as armas de guerra que Deus depositou em você? Reflita e ore para identificá-las, depois escreva aqui o que ele revelou. Talvez você seja incrivelmente paciente ou compreensiva. Talvez você seja cheia de compaixão ou consegue sempre levar as pessoas a ver o lado positivo das situações. Existem qualidades que se tornam nossas ferramentas e armas para usar na hora da batalha. Você precisa saber com o que pode lutar e lembrar de cada uma delas quando as guerras vierem.

O microfone e a flauta

Aparamente-se com tudo aquilo que o Senhor disponibilizou para você, vença a guerra e alce voos até agora inimagináveis!

Capítulo 4

PENSAMENTOS

Comece hoje a ajustar sua mente!

Então o Anjo do SENHOR veio e sentou-se sob a grande árvore de Ofra, que pertencia ao abiezrita Joás. Gideão, filho de Joás, estava malhando o trigo num tanque de prensar uvas, para escondê-lo dos midianitas. Então o Anjo do SENHOR apareceu a Gideão e lhe disse: "O SENHOR está com você, poderoso guerreiro".

"Ah, Senhor", Gideão respondeu, "se o SENHOR está conosco, por que aconteceu tudo isso? Onde estão todas as suas maravilhas que os nossos pais nos contam quando dizem: 'Não foi o SENHOR que nos tirou do Egito?' Mas agora o SENHOR nos abandonou e nos entregou nas mãos de Midiã".

O SENHOR se voltou para ele e disse: "Com a força que você tem, vá libertar Israel das mãos de Midiã. Não sou eu quem o está enviando?" "Ah, Senhor", respondeu Gideão, "como posso libertar Israel? Meu clã é o menos importante de Manassés, e eu sou o menor da minha família".

"Eu estarei com você", respondeu o SENHOR, "e você derrotará todos os midianitas como se fossem um só homem".

E Gideão prosseguiu: "Se de fato posso contar com o teu favor, dá-me um sinal de que és tu que está falando comigo. Peço-te que não vás embora até que eu volte e traga minha oferta e a coloque diante de ti".

E o SENHOR respondeu: "Esperarei até você voltar".

Juízes 6.11-18

Nos primeiros capítulos você começou a ser apresentada a si mesma. Agora estamos bem no meio do caminho e precisamos falar mais sobre você. Precisamos refutar alguns conceitos que estão há muitos anos enraizados nos nossos pensamentos e, assim, poderemos finalmente vencê-los.

Precisamos, também, reforçar que a nossa jornada é contínua, é uma escolha diária por nós mesmas, por sermos quem fomos criadas pelo nosso Pai para sermos, não pelo que vivemos anos ouvindo dos outros, sendo impostas pela sociedade, sendo comparadas com a multidão, quando, na verdade, somos únicas! Você é única!

E, para podermos viver isso na prática, precisamos diariamente ajustar nossos pensamentos.

Pense como foi com Gideão. Deus havia encarregado aquele homem de uma missão muito importante. E já o tinha empoderado com tudo que era necessário. Mas, vez após vez, Gideão tentava se esquivar do propósito de sua vida. Ele dava desculpas, se diminuía... ele era o seu próprio impedimento para viver os planos de Deus. Tudo isso por causa da mentalidade doente que possuía. Ele se achava pequeno demais, incapaz demais, frustrado demais. E, enquanto isso, Deus permanecia sendo o seu maior encorajador! Quantas vezes não caímos no mesmo erro de Gideão?

Precisamos entender que Deus pensa diferente! Ele pensa a seu respeito como pensava sobre Gideão. Ele tem pensamentos de paz, esperança e alegria sobre nós! Um pouco mais à frente na história de Gideão, Deus faz uma limpa no seu exército e deixa apenas 300 homens para lutar ao seu lado. Gideão pensava que não seria suficiente, enquanto Deus tinha certeza de que era exatamente a quantidade necessária! Ei, hoje Deus quer fazer uma limpa nos seus pensamentos! Como Pai de amor, Deus quer tirar esses pensamentos autodestrutivos. Assim como foi com o exército midianita, o Senhor vai derrotar os seus pensamentos autodestrutivos e entregar nas suas mãos uma você cheia de graça, amor e vida para transbordar a todos em seu redor.

Iniciemos a batalha!

VENÇA A AUTODEPRECIAÇÃO

Você está cansada de ouvir tanta gente tendo opinião sobre a sua vida? Pensa que todas essas pessoas ao seu redor não estão cooperando para o seu bem? Na verdade, vou dizer algo que é surpreendente para muitas mulheres: a grande destruidora da nossa autoestima somos nós mesmas. Seu maior inimigo está bem aí em você! Estamos todos os dias nos sabotando. Enquanto Deus sabia que Gideão era capaz de cumprir aquele propósito, veja como ele reagiu:

> *O SENHOR se voltou para ele e disse: "Com a força que você tem, vá libertar Israel das mãos de Midiã. Não sou eu quem o está enviando?" "Ah, Senhor", respondeu Gideão, "como posso libertar Israel? Meu clã é o menos importante de Manassés, e eu sou o menor da minha família".*

Parece que sempre estamos nos vendo como menos importantes ou menores, não é? Pense comigo: o que acontecerá se a sua mãe lhe der um lindo quadro e você não o emoldurar? Toda vez que ela for a sua casa, você se sentirá culpada, má e preguiçosa. Sim, você dará uma desculpa, mas, lá no fundo, saberá que a verdade é que você não se importou muito com o presente.

Deus deu a você um quadro. Esse quadro é VOCÊ. E ele visita você todos os dias para ver o que você está fazendo com o quadro. Está na hora de parar de dar desculpas e começar a fazer o máximo com a sua vida!

Será uma jornada de escolhas diárias, mas somente é possível começar uma longa jornada se dermos o primeiro passo. E o primeiro passo para ter a autoestima restaurada é cuidar de nós mesmas. A autodepreciação é uma estratégia do Inimigo para deturpar a imagem que temos de nós mesmas.

> *Acaso não sabem que o corpo de vocês é santuário do Espírito Santo que habita em vocês, que lhes foi dado por Deus, e que vocês não são de si mesmos? Vocês foram comprados por alto preço. Portanto, glorifiquem a Deus com o seu prórpio corpo.*
>
> 1Coríntios 6.19,20

Deus nos escolheu para sermos seus representantes aqui na terra. Por causa disso, devemos sempre viver com excelência em todas as áreas da nossa vida.

> *Roma não foi construída em um dia,*
> *e sua autoestima também não será.*
> *Somos um projeto em andamento.*

E o que significa viver com excelência? Excelência significa pegar o que você tem e fazer o máximo que puder. Ou seja: pegue você e torne-se no melhor que você puder! Represente bem Deus na sua saúde, na sua maneira de se vestir, represente-o bem no seu modo de falar, nas suas amizades, no seu trabalho... represente-o bem em tudo o que você é e em tudo o que você faz!

No entanto, lembre-se: Roma não foi construída em um dia, e sua autoestima também não será. Somos um projeto em andamento.

Em quais áreas você se considera uma boa representante de Deus neste mundo? Coloque-as na coluna da esquerda. Em quais considera que ainda precisa melhora nesta caminhada? Coloque na coluna da direita.

Represento BEM Deus na terra em	*Posso representá-lo melhor em*

Mas veja bem: se você resolver ser feliz só quando ficar parecida com a Gisele Bündchen, aí nem no céu você vai ser feliz! Essa sensação de inadequação e insatisfação de muitas mulheres vem de uma imagem corporal deturpada. Você se parece com as modelos das revistas, dos *outdoors*? Se a sua resposta é não, fique tranquila, amiga. Eu também não!! Porque as modelos são terrivelmente lindas, impossivelmente magras e extremamente altas. Os cabelos, os dentes e a pele são absolutamente perfeitos. É impossível competir com tudo isso. A boa notícia é que não precisamos! A mídia passa para nós um padrão de beleza inalcançável. E, se ficarmos presas a esse padrão, nunca seremos felizes.

Se você olhar ao seu redor agora mesmo ou pensar na última vez que saiu de casa, com quantas mulheres parecidas com a Gisele Bündchen você cruzou? Suas vizinhas se parecem com ela? E as mulheres da sua família? Então, por que queremos ser desse jeito, se ela é uma maravilhosa exceção à regra? Quando temos uma imagem corporal deturpada, sentimos vontade de desistir.

A tendência é pensarmos: "Ah! Já que eu não consigo ser tão perfeita como as modelos, pode trazer o pote de sorvete porque eu vou me consolar!". Resultado? Depreciamos o nosso corpo, nos alimentamos mal e quebramos a lei de Deus quanto ao descanso. Tudo isso porque ficamos estressadas, entre outras consequências que acabam sendo inseridas no nosso estilo de vida. E nem percebemos o que está acontecendo.

O sentimento de impotência não vai embora com uma oração ungida. É preciso muita disciplina! Você vence quando para de se destruir por não ser perfeita.

E chegou o momento de colocar isso em prática! Faça uma pequena lista de autossabotagens que estão na sua rotina, seja em relação à alimentação, seja a não praticar atividades físicas adequadas ou suficientes, seja ainda a permitir que pessoas digam ou façam coisas que fazem mal a você. Comprometa-se a deixar esses maus hábitos para trás, vencer a autodepreciação e prosseguir rumo à transformação!

VENÇA A AUTOPIEDADE

> Então o Anjo do SENHOR apareceu a Gideão e lhe disse: "O SENHOR está com você, poderoso guerreiro".
>
> "Ah, Senhor", Gideão respondeu, "se o SENHOR está conosco,

por que aconteceu tudo isso? Onde estão todas as suas maravilhas que os nossos pais nos contam quando dizem: 'Não foi o SENHOR *que nos tirou do Egito?' Mas agora o* SENHOR *nos abandonou e nos entregou nas mãos de Midiã".*

Autopiedade nada mais é do que ter pena de si mesma. Nesse trecho que lemos, o Senhor estava dizendo a Gideão que estava com ele, que ele era um grande guerreiro! Mas Gideão, com sua mentalidade deturpada e cheia de autopiedade diz, em outras palavras: "Ó céus, ó vida, todos nos abandonaram, até o Senhor, que nos entregou nas mãos de Midiã". Gideão começa falando "Ah, Senhor...", daí já sabemos que vem uma crise de autopiedade. Olhando a história você pode pensar: "Mas esse tal de Gideão também é complicado demais, misericórdia...".

Amiga, me desculpe, mas eu preciso que você pare um pouco e reflita quantas vezes você fez o mesmo que ele. Quantas vezes o Senhor mandou você ser corajosa, seguir em frente, virar a página, começar de novo, perdoar, superar e você ficou sentindo pena de si mesma porque tinha enfrentado uma situação muito difícil? Falo isso com muito amor, viu? Quando focamos na autopiedade, não conseguimos enxergar as maravilhas que Deus fez, assim como Gideão. Optamos por trilhar o caminho contrário ao que nos foi destinado e nos afastamos do propósito de Deus para nossa vida. Chegou o dia de você ser curada da autopiedade e ocupar seu espaço como filha, herdeira e princesa!

> *Melhor é contentar-se com o que os olhos veem do que sonhar com o que se deseja. Isso também não faz sentido, é correr atrás do vento.*
>
> Eclesiastes 6.9

Toda mulher curada, livre da autodepreciação e da autopiedade, ama o espelho! Enquanto aquelas que não amam o espelho na verdade ainda estão presas naquela conversa de contos-de-fada do tipo do conto da Branca de Neve, esperando que o Espelho Mágico diga que ela é a mais bela de todo o reino. Quando há esse tipo de expectativa, a frustração fatalmente acontecerá, como o foi com a Rainha Má daquele conto.

A mulher curada ama o espelho porque, em vez de focar a atenção no que não tem de perfeito, ela olha agradecida com relação às coisas que possui. Ela pensa como Paulo, em Filipenses 4.11, dizendo: "[...] aprendi a adaptar-me a toda e qualquer circunstância". A verdade é que Gideão possuía esses pensamentos sobre si mesmo porque desde pequeno havia crescido com medo dos midianitas. Desde cedo, ouviu dizer que era o menor, então tinha uma ótica distorcida das circunstâncias. Com você pode ter acontecido o mesmo. Alguém pode ter liberado palavras duras sobre sua vida. Mas o Senhor investe na sua autoestima!

Da mesma forma que fez com Gideão, Deus não descansa até que tenhamos uma vida de liberdade nessa área! Você já pensou nisso? Deus, em sua visão infinitamente ampliada e cheia de amor, vê o que ainda nem somos e já declara como se fôssemos. Ele olhou para Pedro, tão instável, cheio de altos e baixos, e disse: "Pedro, você é uma rocha!". Deus olhou para Jacó, mau caráter e mentiroso e disse: "Jacó, você é um príncipe!". Vamos aprender a ter pensamentos felizes sobre nós mesmas e entrar em acordo com Deus em nossa mentalidade.

Abra sua Bíblia em Filipenses 4.11 e destaque "aprendi". Não é natural estar feliz. Fomos ensinadas a estar descontentes, como já falamos. *Ser feliz* é algo que você precisa aprender em um processo educativo, lembre-se disso? Você precisa encontrar a felicidade nas coisas que já possui. Como eu disse antes, uma das verdades mais importantes que aprendi foi: "Eu já tenho mais do que mereço". Você também já tem mais do que merece. Deus lhe deu tudo de que você precisa para cumprir o seu destino!

Não importa o que aconteceu no seu passado; ele não pode determinar o seu futuro. Toda pessoa tem um passado. Todo mundo passa por problemas na vida. Talvez você não tenha concluído os estudos, ou foi abusada, talvez ainda traída, ou teve de conviver com pais agressivos, talvez tenha perdido um filho, ou talvez seja viúva de um bom marido... Eu sei que tudo isso, cada uma dessas situações, é muito triste e compõe um fardo difícil de carregar. Mas você não está sozinha! Jesus a fortalecerá para que você se recupere e não permita que essas marcas cortantes prejudiquem o seu futuro. Jesus está ao seu lado para prover a cura!

Na vida nada acontece sem um propósito. Cada decepção, cada dificuldade, cada porta fechada nos ajudam a ser quem devemos ser em Deus. A medicina afirma que as duas piores dores emocionais são: a dor de enterrar um filho e a dor da traição. Mesmo em situações que envolvam dores tão agudas, sempre haverá uma cura que Deus proverá para sua vida.

Eu posso dizer por experiência própria que sofrer é difícil. Eu passei pela dor de enterrar a minha primeira filha ainda recém-nascida e, caso você ainda não conheça minha história, pode ver o testemunho completo no canal do YouTube™ da Igreja do Amor, com o título: "Você vai dar conta", mas isso é conversa para outro livro! A verdade é que ninguém quer experimentar a dor. Mas uma coisa que aprendi com as tempestades da vida é que elas não duram para sempre. Um dia a tempestade passa. Sempre amanhece um novo dia! O que não podemos fazer é deixar que as aflições sufoquem a nossa vida! Quando isso acontece, a nossa alma fica fragilizada. Toda perda não tratada fragiliza a nossa alma.

Transforme os seus problemas em oportunidades!

Satanás se aproveita das circunstâncias e das nossas fragilidades para nos derrubar e nos manter no chão. Onde há ferida, mágoa e falta de perdão, o Diabo está ali; é o *habitat* dele. Talvez, você tenha vivido algo como uma traição, uma ausência ou a rebeldia de um filho, e isso a tenha feito desenvolver uma mágoa de Deus, a ponto de dizer: "Eu oro tanto e o milagre não vem, porque Deus faz com fulana e sicrana, mas não faz comigo?". Não fique presa a esse tipo de pensamento. É destrutivo demais!

Não se deixe vencer por suas fragilidades! Não dê razão para que o Inimigo tenha poder sobre a sua felicidade.

A gente fica presa ao passado porque namorou muito e não deu certo, e acha que vai ficar para titia. Pegue o que deu errado e aprenda com isso! Faça do seu fracasso o seu treinamento. Reinvente-se! Transforme os seus problemas em oportunidades!

Quero que você escreva abaixo uma lista de dores, traumas e decepções que sofreu ao longo da vida e, ao lado, coloque pelo menos uma lição que aprendeu com cada uma dessas situações.

Sua dor	*Lição aprendida com a dor*

“Sabemos que Deus age em todas as coisas para o bem daqueles que o amam, dos que foram chamados de acordo com o seu propósito.” (Romanos 8.28) Deus não desperdiça nada, nem o mal que lhe sobrevém, nem a maldição que tentam impor sobre você. Ele pega as situações mais difíceis da sua vida e as transforma em bênçãos. Recupere-se! Deus está com você e proverá todo suporte de que você precisa.

Noemi sofreu muito. Em pouco tempo, perdeu o marido e os dois filhos. Ao decidir retornar para sua terra natal, tentou fazer com que as suas noras voltassem cada uma para a sua família. Órfa relutou, mas aceitou a orientação da sogra. Já Rute não. Sua decisão de acompanhar Noemi fez com que dissesse uma das declarações mais lindas da Bíblia:

> "Não insistas comigo que te deixe e que não mais te acompanhe. Aonde fores irei, onde ficares ficarei! O teu povo será o meu povo e o teu Deus será o meu Deus! Onde morreres morrerei, e ali serei sepultada. Que o Senhor me castigue com todo o rigor, se outra coisa que não a morte me separar de ti". (Rute 1.16,17)

Deus motivou Rute a permanecer ao lado de Noemi, assim como uma figura do Espírito Santo, que vive ao nosso lado, preocupado com a nossa autoestima. Deus sempre vai prover alguém para cuidar de você! Deus enviou o Espírito Santo para ajudar você! Quando você achar que acabou, será o momento em que Deus começará a mudar a sua história!

VENÇA OS PENSAMENTOS DESTRUTIVOS

> Quando Gideão ouviu o sonho e a sua interpretação, adorou a Deus. Voltou para o acampamento de Israel e gritou: "Levantem-se! O SENHOR entregou o acampamento midianita nas mãos de vocês". Dividiu os trezentos homens em três companhias e pôs nas mãos de todos eles trombetas e jarros vazios, com tochas dentro.
>
> E ele lhes disse: "Observem-me. Façam o que eu fizer. Quando eu chegar à extremidade do acampamento, façam o que eu fizer. Quando eu e todos os que estiverem comigo tocarmos as nossas trombetas ao redor do acampamento, toquem as suas, e gritem: Pelo SENHOR e por Gideão!"
>
> Juízes 7.15-18

Gideão pediu muitas provas a Deus. Ele pediu várias confirmações e o Senhor pacientemente concedeu. Demorou certo tempo, mas Gideão chegou ao ponto de verdadeira metanoia em sua vida. Uau! Como valeu a pena! Suas palavras estavam cheias de confiança! Você percebeu a diferença? Nessa parte da história, o Senhor tinha orientado Gideão a diminuir seu exército até que restassem apenas 300 homens e, após receber uma confirmação de Deus, Gideão estava pronto para lutar porque sabia que venceria a batalha! Nem parece o mesmo homem cheio de autodepreciação e autopiedade do começo da história.

O segredo está na mente. Gideão, a partir daquele momento, tinha pensamentos de vitória, proferia palavras de vitória e agia como um vitorioso! Quando ele trocou seus pensamentos de derrota por pensamentos de acordo com o que Deus dizia sobre ele, tudo mudou! O que você guardar na sua mente tenderá a acontecer na sua vida. Se você continuar a acreditar no que sempre acreditou, continuará a agir como sempre agiu. Se você continuar a agir como sempre agiu, continuará a alcançar o que sempre alcançou. Se você quer ter resultados diferentes na sua vida pessoal ou no seu trabalho, tudo o que tem a fazer é *mudar a sua maneira de pensar*!

Somente quando o "você consegue"
se transforma em "eu consigo"
é que a coisa acontece!

Por onde a mente vai o homem segue. Os nossos pensamentos nos dirigem. Precisamos entender o poder da mente. O sucesso em cada aspecto da vida começa com um pensamento, e o fracasso também.

Muitas vezes, achamos que conseguimos vencer por causa de uma palavra de encorajamento: "Você consegue!". No entanto, somente quando o "você consegue" se transforma em "eu consigo" é que a coisa acontece! A mesma coisa ocorre com os pensamentos de incredulidade. Por que eles nos levam à depressão e angústia? Porque ficam impregnados na nossa mente e exercem influência direta na nossa tomada de decisões.

Nossos pensamentos afetam nossos relacionamentos, nossa autoimagem, nossas finanças, nossa saúde (física, emocional e espiritual), nossa produtividade no trabalho e em casa, nossa maneira de administrar o tempo, nossas prioridades e nossa capacidade de desfrutar a vida.

> "Porque, como ele imagina em sua alma, assim ele é".
> Provérbios 23.7 (*Almeida Revista e Atualizada*)

Em outras palavras, nós nos tornamos aquilo que pensamos. Não quero dizer que com o pensamento podemos conseguir o que quisermos. Isso é uma filosofia humanista. Mas precisamos reconhecer que os pensamentos são uma chave. O que fazer? Renove seus pensamentos. Encha sua mente com pensamentos de fé e confiança ao invés de tentar apagar os pensamentos de preocupação, medo e negatividade.

Encher a mente com bons pensamentos é mais fácil que tentar esvaziá-la dos negativos. "[...] a fé vem por se ouvir a mensagem, e a mensagem é ouvida mediante a palavra de Cristo" (Romanos 10.17). Tenha pensamentos de fé a seu respeito. Orgulho não é pensar que você é boa, mas pensar que você é melhor do que outros. Você precisa brilhar, o mundo precisa do seu melhor. Seja o melhor para o que você foi criada; faça Deus maior... Sua grandeza faz Deus grande.

Agora é a hora de plantar as sementes positivas! Faça uma lista de pensamentos que devem sempre permear sua vida! Palavras que vão impulsioná-la a ser dia a dia a melhor versão de você mesma!

Certa vez, ouvi uma frase assim: "Eu é que torno o que eu faço importante; não sou importante por conta daquilo que faço!". Algumas pessoas não têm paz consigo mesmas porque, na verdade, não se aprovam e assumem compromissos demais, tentando encontrar neles o seu valor. Acham que, se tiverem valor, poderão roubar a glória de Deus. Olha, você não pode roubar algo que nunca foi seu!

Quanto mais você coloca o foco nos seus erros, mais eles aumentam. Quando colocamos o foco em Jesus, passamos a ter um relacionamento com ele e descobrimos a nossa verdadeira identidade. Pare de ficar estressada por causa dos seus defeitos quando, na verdade, todas as pessoas os têm. Deus nos fez para sermos perfeitas em Cristo, e estamos caminhando para isso.

É como se uma criança dissesse: "Minha mãe me deu seu vestido de noiva para eu usar quando me casar, e a cada ano estou crescendo para um dia caber nele. Ele já é meu, embora ainda não sirva em mim". Sempre dizemos: "Ninguém é perfeito". O que queremos dizer é que ninguém manifesta um comportamento perfeito; essa é uma afirmação correta. Porém, o nosso comportamento é muito diferente da nossa identidade!

A Bíblia diz que a fé em Jesus nos torna justos (Romanos 3.24). Bom, se somos justas, por que não agimos sempre com justiça? Simplesmente porque ainda estamos crescendo até sermos pessoas que agem assim. Quanto mais servimos a Deus, agimos cada vez menos da maneira errada, e cada vez mais da maneira certa.

Quem somos em Cristo é completamente diferente do nosso modo de agir! Quando nascemos de novo, nós nos tornamos filhas, recebemos nova identidade. Se você teve um filho, ele recebeu o seu sobrenome ao nascer, certo? Minhas filhas tem o "Pereira". Elas nunca serão mais ou menos "Pereira". Nem sempre elas vão agir como eu gostaria, como alguém que represente bem o nome da família, mas, mesmo assim, serão sempre "Pereira".

Quem é a pessoa com quem você mais convive? É você mesma! Você precisa se lembrar de que convive consigo mesma o tempo todo. Portanto, tome a decisão de gostar de si mesma. Se você não gostar de si mesma, a vida será muito dura para você, pois terá que conviver 24 horas por dia com alguém que não gosta. Não estou dizendo com isso que você vai simplesmente ignorar as suas falhas. Não! Você vai trabalhar para diminuí-las e para potencializar as suas qualidades.

O Diabo, o tempo todo, vai querer que você tenha os piores pensamentos a seu respeito. Ele vai usar pessoas amargas para isso. Tem gente que só sabe falar mal; tudo critica, tudo questiona. Tem sempre pensamentos ruins acerca dos outros; tem opinião negativa sobre tudo.

Esse tipo de gente já me angustiou tanto! Mas, sabe, eu tenho crescido, tenho buscado a Deus para que isso não me afete. Quando ouço comentários desse tipo de gente, eu olho e digo: "Satanás, você está querendo me fazer acreditar nas suas mentiras, não é? Fique bem aí no seu cantinho porque eu estou voando, e nada vai me impedir de chegar ao lugar que Deus tem para mim".

Ouça pessoas que acreditam em você, que a encorajam, que sabem demonstrar amor e que acreditam nos sonhos de Deus para sua vida. Se essa pessoa lhe fizer uma correção, aceite de coração. Valorize o amor de Deus por você. Você é muito importante! Saber que Deus nos ama incondicionalmente é uma absoluta necessidade para progredirmos na nossa caminhada com ele.

Jesus não morreu para que fôssemos religiosas. Ele morreu para que pudéssemos ter um relacionamento profundo, íntimo e pessoal com Deus. É crucial que você aprenda a separar quanto você é importante para Deus do que você faz de certo e errado. Somos enganadas e levadas a pensar que nossa aceitação se baseia no nosso desempenho, mas isso é totalmente antibíblico. O Diabo quer nos levar a acreditar que o que fazemos é mais importante do que quem somos.

A grande estratégia do Diabo é usar as nossas falhas para nos afastar da autoaceitação. Pensamos: "Ah! Se eu me comportasse melhor, poderia gostar mais de mim mesma". Ficamos absolutamente constrangidas com as nossas fraquezas. Nós nos alegramos com o nosso sucesso e ficamos deprimidas com o nosso fracasso. Lutamos e nos esforçamos em busca da perfeição, mas, de algum modo, ela sempre nos escapa.

Precisamos aprender a nos ver em Cristo, não em nós mesmas! Ouvi uma frase que falou muito ao meu coração: "Se você olhar para o mundo, será oprimido. Se olhar para si mesmo, ficará deprimido. No entanto, se olhar para Jesus, terá descanso". Enquanto pensarmos que o amor de Deus é condicional, continuaremos tentando conquistá-lo para provar que somos dignas de ser amadas. Aí, quando cometemos erros, sentimos que não temos mais valor e, portanto, não merecemos mais ser amadas. Sofremos culpa, vergonha, condenação. Continuaremos tentando provar o nosso desempenho até ficarmos exaustas.

O gigante pode ser maior que você,
mas nunca será maior que o seu Deus.

Um ditado popular afirma que "a esperança é a última que morre". Embora seja interessante, a sua mensagem não é verdadeira. A esperança não morre! Quando não temos esperança em alguma área, aceitamos a influência de uma mentira. Seja uma pessoa cheia de esperança, "porque fiel é aquele que fez a promessa" (Hebreus 10.23).

Se não tenho pensamentos de esperança, então não falo de esperança e não tenho esperança. E, se a falta dela ficar crônica em nós, pararemos como um carro que tem problema no motor. Para ter uma vida de esperança, esteja vigilante sobre como você enxerga a realidade da vida. Não há problema em ver o problema. O que não podemos fazer é acreditar que os problemas são instransponíveis. Apenas veja que o gigante — embora seja maior que você — *nunca será maior que o seu Deus.*

Sabe, a cada dia mais tenho aprendido que eu não preciso ser realista. Eu não fui chamada para ser realista; fui chamada para viver o sobrenatural de Deus. Se eu for realista demais, a minha fé se enfraquecerá. Portanto, eu preciso aprender a ver a vida com os olhos da fé, para contemplar o sobrenatural e ser revestida de esperança.

Lembre-se sempre de que você é como Gideão: Deus entregou a vitória sobre o Inimigo nas suas mãos! Siga em frente cheia de esperança porque um futuro brilhante já foi preparado e está só à sua espera!

CAPÍTULO 5

ATITUDES

Comece hoje sua transformação!

> *"Não entendo o que faço. Pois não faço o que desejo, mas o que odeio [...]. Porque tenho o desejo de fazer o que é bom, mas não consigo realizá-lo. Pois o que faço não é o bem que desejo, mas o mal que não quero fazer esse eu continuo fazendo. Ora, se faço o que não quero, já não sou eu quem o faz, mas o pecado que habita em mim".*
>
> Romanos 7.15, 18*b*-20

Precisamos ser sinceras. Quantos milhões de vezes não prometemos a nós mesmas que agiríamos de forma diferente e acabamos caindo no mesmo erro? É exatamente o que Paulo fala nesse trecho que lemos! Eu admiro muitas pessoas na Bíblia, muitos heróis da fé, e Paulo é um deles. Quando falamos nele, pensamos logo em uma referência de amor, relacionamento, obediência, sacrifício. Mas, se você não sabe, deixe-me dizer uma coisa: nem sempre foi assim.

Antes de ser o grande Paulo, esse mesmo homem se chamava Saulo e era conhecido por perseguir e matar cristãos. Paulo não era conhecido por suas doces palavras, mas por sua arrogante fala. Paulo não era conhecido por sua inabalável fé, mas por sua intolerância contra os cristãos. Paulo não era conhecido por amar e investir em pessoas, mas por assassinar inocentes.

Eu fico imaginando como tudo mudou na vida daquele homem depois de ele ter tido um encontro com Jesus. Com certeza foi um *mix* de emoções... a alegria enorme de receber Cristo como Salvador e, ao mesmo tempo, o medo de uma sociedade que ainda o via como Saulo, enquanto ele já havia recebido sua identidade de Paulo. Sabe, no mesmo instante em que escolheu seguir a Cristo, todo o seu passado foi apagado por Jesus. No entanto, certamente as pessoas não esqueceriam da noite para o dia tudo o que haviam passado por causa de Saulo.

Talvez por isso Paulo tenha se enchido de tanta compaixão e paciência pelo próximo. Ele sabia que era o primeiro que dela precisava! E nós? Quantas vezes somos misericordiosas com nossos próprios erros, mas intolerantes com os erros dos nossos irmãos? O cerne é: quando se trata de transformação, não será fácil. Nem sempre as pessoas irão acreditar na sua mudança. Nem sempre as pessoas irão incentivar você a prosseguir. No entanto, assim como Paulo, você não pode parar!

> "Mas [Deus] me disse: 'Minha graça é suficiente a você, pois o meu poder se aperfeiçoa na fraqueza'. Portanto, eu me gloriarei ainda mais alegremente em minhas fraquezas, para que o poder de Cristo repouse em mim. Por isso, por amor de Cristo, regozijo-me nas fraquezas, nos insultos, nas necessidades, nas perseguições, nas angústias. Pois, quando sou fraco, é que sou forte."
>
> 2Coríntios 12.9,10

Genética explica predisposição, mas não justifica nem perdoa pecados!

O que nos fortalece, dia a dia, é saber que nosso Pai de amor é forte e cheio de ideal por nós! Como o texto diz em 2Coríntios, é na nossa fraqueza que a força de Deus se aperfeiçoa; e quando sou fraco é que sou forte! Deus não quer que fiquemos de um lado para o outro, feito baratas tontas depois do inseticida, seguindo sem destino! Ele é forte por nós, ele habita em nós, e sua força e seu Santo Espírito estão conosco para darmos uma reviravolta.

Pare para pensar. Você sabe de onde vêm os seus defeitos? Existem algumas coisas que lutamos para mudar e nem sequer vêm de nós... são herança genética; você herdou de seus pais alguns defeitos tanto físicos quanto emocionais. Contudo, lembre-se: genética explica predisposição, mas não justifica nem perdoa pecados! Além da herança genética, ao longo da vida adquirimos hábitos doentios que são como uma barreira para a transformação. E, por fim, alguns dos nossos defeitos também podem vir das circunstâncias que passamos. Deixe-me dizer uma coisa: nada pode impedir a sua transformação caso você verdadeiramente decida mudar!

Eu gosto de pensar que Deus não desperdiça nada. Nem nossos sofrimentos nem nossos defeitos. Na verdade, defeitos de caráter geralmente são qualidades positivas sendo usadas de maneira errada. Por exemplo, o defeito da fofoca. Na verdade, uma pessoa fofoqueira não passa de alguém bastante influente e comunicativo (qualidades), usando seus dons de forma negativa. Você me entende?

Alguns defeitos que temos parecem até bichinhos de estimação. Estão conosco há tanto tempo que pensamos que nem conseguimos nos desfazer. Afinal, você se sente muito confortável praticando cada um deles. Acabamos confundindo nossos defeitos com nossa identidade. Quando você diz: "Ah, esse é o meu jeito! Nasci assim e vou morrer assim!", você está se identificando com seus defeitos, percebe? Você pode até ter nascido desse jeito, mas não precisa permanecer assim! Você pode mudar!

Eu quero incentivar você a deixar para trás tudo que é necessário para que haja uma transformação genuína e completa em sua vida! Deus deseja que você seja transformada poderosamente hoje. Vamos juntas nos tornar nossa melhor versão?

FOQUE NO PODER DE DEUS, NÃO NA SUA PRÓPRIA FORÇA

Se você tem tentado vencer e mudar por si mesma, então já sabe muito bem que força de vontade não é o bastante para fazer mudanças duradouras em sua vida. Quantas vezes você tentou emagrecer, praticar ginástica; parar de mentir, de fumar, de adulterar, de fornicar; esquecer uma dor do passado? Quantas vezes você confiou na sua força de vontade, mas não conseguiu terminar o que havia começado? Quantas tentativas frustradas? Quantas decepções você enfrentou? É até possível viver pela força pessoal por algum tempo, mas, quando a pressão aumenta, quase sempre fraquejamos.

Se Deus sempre atender às nossas expectativas, ele nunca vai ter a oportunidade de superá-las!

Sim, nossa força não é suficiente! A força de Paulo também não foi suficiente para ele: "o mal que não quero fazer esse eu continuo fazendo" (Romanos 7.19b). Força de vontade não basta para mudar a realidade da nossa vida. Veja mais este verso bíblico: "Será que o etíope pode mudar a sua pele? Ou o leopardo as suas pintas? Assim também vocês são incapazes de fazer o bem, vocês, que estão acostumados a praticar o mal" (Jeremias 13.23). Deus está dizendo que nunca vamos conseguir mudar certos aspectos da nossa vida por nós mesmas. Mas a boa notícia também vem da Bíblia: "Tudo posso naquele que me fortalece" (Filipenses 4.13).

Por isso mesmo, precisamos orar a Deus reconhecendo que não podemos mudar por nossa própria força de vontade e confiando que ele nos dará o poder necessário para superar os nossos defeitos e as nossas fraquezas. Ao fazermos a escolha da transformação, o nosso foco estará somente em Deus e em seu infinito poder, não em nós e em nossas fraquezas.

Nosso problema é que sempre focamos no que nós mesmos podemos fazer e nas nossas expectativas de como as coisas devem acontecer. Mas, se Deus sempre atender às nossas expectativas, ele nunca vai ter a oportunidade de superá-las! Ei, na sua força você não pode, mas Deus pode!

> *"[...] Firmem seus pensamentos naquilo que é verdadeiro, bom e direito. [...] Pensem nas coisas pelas quais vocês possam louvar a Deus e alegrar-se com elas". (Filipenses 4.8, A Bíblia Viva)*

Em outras palavras: concentre-se em coisas boas, não em coisas ruins. Você se move na direção daquilo que se concentra. Deixe-me dar um exemplo: você precisa emagrecer, mas sente vontade de comer *fast-food*. É nessa hora que você deve se concentrar no que precisa, não no que sente!

Se você faz a coisa certa, seus sentimentos eventualmente vão alcançar você. Se você espera até que sinta que deva mudar, nunca mudará. O Diabo vai se encarregar de fazer com que você nunca se sinta dessa maneira. É mais fácil agir a despeito de sentimento do que sentir que deve agir.

O que quer que tenha a sua atenção, tem você. Se você diz: "Não vou pensar sobre sexo, não vou pensar sobre sexo...". Sobre o que você vai pensar? Sexo. Deixe-me dizer uma coisa: você não deve resistir à tentação. Nenhuma vez na Bíblia Deus manda você resistir à tentação. Nem uma vez sequer! Ele diz para resistir ao tentador, resistir ao Diabo, mas não à tentação. Por quê? Porque, quando você resiste a algo, aquilo persiste. Quanto mais forte você empurra, mais forte a tentação empurra de volta.

> O Diabo conhece seu nome, mas chama você pelos seus pecados. Jesus conhece seus pecados, mas chama você pelo seu nome.

Você não dá conta de pagar a conta de todos os seus erros; Jesus já pagou a conta. Você foi perdoada, então foque no poder e na força de Deus para ter uma vida verdadeiramente transformada!

FOQUE NAS PROMESSAS, NÃO NAS DIFICULDADES

> *Uma vez em terra, descobrimos que a ilha se chamava Malta. Os habitantes da ilha mostraram extraordinária bondade para conosco. Fizeram uma fogueira e receberam bem a todos nós, pois estava chovendo e fazia frio. Paulo ajuntou um monte de gravetos; quando os colocava no fogo, uma víbora, fugindo do calor, prendeu-se à sua mão. Quando os habitantes da ilha viram a cobra agarrada na mão de Paulo, disseram uns aos outros: "Certamente este homem é assassino, pois, tendo escapado do mar, a Justiça não lhe permite viver". Mas Paulo, sacudindo a cobra no fogo, não sofreu mal nenhum. Eles, porém, esperavam que ele começasse a inchar ou que caísse morto de repente, mas, tendo esperado muito tempo e vendo que nada de estranho lhe sucedia, mudaram de ideia e passaram a dizer que ele era um deus.*
>
> *Próximo dali havia uma propriedade pertencente a Públio, o homem principal da ilha. Ele nos convidou a ficar em sua casa e, por três dias, bondosamente nos recebeu e nos hospedou. Seu pai estava doente, acamado, sofrendo de febre e disenteria. Paulo entrou para vê-lo e, depois de orar, impôs-lhe as mãos e o curou. Tendo acontecido isso, os outros doentes da ilha vieram e foram curados.*
>
> Atos 28.1-9

Deus tem promessas para cada um de seus filhos! E a missão que o Senhor havia dado a Paulo era que ele fosse falar do evangelho em Roma, para o imperador César. Esse texto fala sobre algumas das interrupções que Paulo enfrentou em seu caminho. Antes disso, no capítulo 27, a Bíblia nos conta que Paulo entrou no navio como prisioneiro, com algemas e tudo, a caminho de Roma. No meio do trajeto, houve uma grande tempestade; então, ele e todos os tripulantes quase morreram e tiveram que parar para se abrigar em uma ilha que se chamava Malta.

Quando olhamos para esse momento da vida de Paulo, podemos analisar que ele estava apenas obedecendo a Deus, cumprindo princípios do Reino e, mesmo assim, passou por tantos e tantos sofrimentos. Algumas pessoas pensam que a vida cristã é perfeita e sem lutas. Como se servir a Jesus fosse garantia de que nada de ruim pudesse nos alcançar. No entanto, quando olhamos para a história de Paulo, vemos um homem que estava no centro da vontade de Deus, servindo a ele, mas que passou por tantas situações difíceis.

Nos momentos ruins, precisamos nos lembrar de Romanos 8.28, que diz que todas as coisas cooperam para o bem daqueles que amam a Deus! Era necessário que Paulo parasse na Ilha de Malta. Venhamos e convenhamos, ninguém deve gostar de ficar ilhado, a não ser que seja em um *resort* maravilhoso... Contudo, nas condições de Paulo, não era nada favorável, certo? Ainda assim, a Bíblia diz que era necessário que ele parasse naquela ilha.

Da mesma forma acontece em nossa vida. Entramos em um navio, passamos pela tempestade, parece que nem iremos sobreviver. Quando finalmente conseguimos respirar novamente, estamos presos em uma ilha. As ilhas são as circunstâncias contrárias da história. Ei, ainda que o povo fale, não significa que você está em pecado, ou que é um castigo! Não é uma prova de Deus, não é uma investida do Diabo. É simplesmente necessário que você passe por uma ilha!

Por quê? Qual o objetivo de Deus para nos deixar lá? Na ilha é onde descobrimos mais de Deus, onde ajudamos outras pessoas, onde os domínios opressivos são anulados e onde somos abastecidos para seguir viagem! Na ilha nós adquirimos humildade, aprendemos a olhar o outro com compaixão, a ter sabedoria e a continuar sonhando. A sua ilha, a sua situação difícil, não está tirando você do seu destino profético, está guiando você até lá!

Enquanto estiver na ilha, não deixe que seus sonhos sejam enterrados. Quem enterra tesouro na ilha é pirata! Paulo tinha o sonho de levar o evangelho até Roma e, por isso, não desistiu. Ele passou o tempo necessário em Malta, ganhou o respeito e o reconhecimento dos líderes locais, ajudou as pessoas, cresceu, aprendeu e prosseguiu a caminhada. Paulo focou nas promessas que Deus tinha feito a ele, não nas dificuldades que estava enfrentando pelo caminho. Nunca se esqueça do propósito pelo qual Deus chamou você! Foque sua atenção nas palavras de Deus, não nas palavras de dificuldade.

Você já percebeu que palavras desanimadoras ou pensamentos como "Não sou inteligente nem atraente o bastante", "Não tenho grandes talentos", "Não consigo fazer nada direito" costumam se transformar em "profecias negativas" que se cumprem em nós mesmas? Por quê? Porque esses pensamentos impregnam a nossa mente a ponto de exercerem forte influência sobre o nosso processo de tomada de decisões.

Ao receber Jesus Cristo como Salvador, cada pessoa recebe um novo espírito e um novo coração, mas não recebe uma nova mente. A mente precisa ser renovada, como nos ensina o apóstolo Paulo em Romanos 12.2: "Não se amoldem ao padrão deste mundo, mas transformem-se pela renovação da sua mente, para que sejam capazes de experimentar e comprovar a boa, agradável e perfeita vontade de Deus".

Precisamos aprender a pensar como Deus pensa ao nosso respeito. Isso é renovar a mente! E a Bíblia nos garante em Jeremias 29.11 que Deus tem planos de nos fazer prosperar, nos dar esperança e um futuro. É isso o que ele planeja para a sua vida! É isso o que ele pensa a seu respeito! Deus tem um plano para fazer você prosperar e para dar a você esperança e um futuro! Sim, é preciso repetir para ficar muito bem registrada essa promessa na sua mente.

Vale ressaltar que não se trata do poder do pensamento positivo, mas do poder que temos de escolher o que vai ocupar a nossa mente. É isso o que o apóstolo Paulo nos ensina a fazer: "Finalmente, irmãos, tudo o que for verdadeiro, tudo o que for nobre, tudo o que for correto, tudo o que for puro, tudo o que for amável, tudo o que for de boa fama, se houver algo de excelente ou digno de louvor, pensem nessas coisas" (Filipenses 4.8).

Por exemplo, a única maneira de vencer uma tentação é desviar o foco da mente para outra direção. Se a nossa mente estiver impregnada de ideias sobre sexo, o sexo vai ser dominante em nossa vida e em nossas atitudes. Aquilo que ganha a sua atenção já conquistou você.

E como podemos reprogramar a nossa mente? Enchendo-a com a Palavra de Deus, que tem mais de sete mil promessas para aqueles que creem. Quanto mais versículos você memorizar e guardar no coração, mais fácil será neutralizar pensamentos, tentações e ataques espirituais. Somos transformadas pela renovação da nossa mente através da Palavra de Deus.

Vou deixar agora para você uma pequena lista de textos bíblicos que são bons para preencher seu coração. Mas também ficarão algumas linhas para você incluir outros textos; conforme você ler a Bíblia diariamente, terá uma bela lista para memorizar.

- [x] Filipenses 4.13: *Tudo posso naquele que me fortalece.*
- [x] 2Coríntios 12.9: *Minha graça é suficiente a você, pois o meu poder se aperfeiçoa na fraqueza.*
- [x] Romanos 12.2: *Não se amoldem ao padrão deste mundo, mas transformem-se pela renovação da sua mente, para que sejam capazes de experimentar e comprovar a boa, agradável e perfeita vontade de Deus.*

- [x] Filipenses 4.8: Finalmente, irmãos, tudo o que for verdadeiro, tudo o que for nobre, tudo o que for correto, tudo o que for puro, tudo o que for amável, tudo o que for de boa fama, se houver algo de excelente ou digno de louvor, pensem nessas coisas.
- [x] João 8.32: E conhecerão a verdade, e a verdade os libertará.

Jesus disse: "E conhecerão a verdade, e a verdade os libertará" (João 8.32). Por isso, permita que as verdades contidas na Bíblia ajudem você a superar as feridas e os fracassos. Como eu já disse, não podemos ficar presas a uma dor ou a um problema, temos que seguir em frente. Levantar a cabeça e dar a volta por cima com Jesus sempre é possível.

Nunca pense em desistir! Por mais que as circunstâncias digam não, lute pelo sim! O apóstolo Paulo se tornou especialista em fazer das dificuldades uma ponte para o sucesso. A resistência dele era diretamente proporcional aos desafios que enfrentava. Veja o que ele afirmou em 2Coríntios 4.8,9: "De todos os lados somos pressionados, mas não desanimados; ficamos perplexos, mas não desesperados; somos perseguidos, mas não abandonados; abatidos, mas não destruídos". Portanto, não seja marionete das feridas, dos traumas e fracassos que um dia afetaram a sua vida. Ganhe experiência e prossiga ainda mais forte! Foque nas coisas boas!

Por mais que as circunstâncias digam não, lute pelo sim!

O Diabo sempre lança mentiras à nossa mente. E influenciados por ele, às vezes, pensamos: "Ninguém me trata com carinho. Não ligam para mim". Esses sussurros malignos podem nos levar a guardar mágoas no coração e não perdoar quem nos ofendeu. Sem perceber, nós nos tornamos reféns do ressentimento. Precisamos ter muito cuidado, pois o Diabo quer que demos atenção às feridas do passado. Se possível, ele nos manteria acorrentados ao nosso passado. Em vez de ouvir essas vozes do mal, busque viver como a Palavra ensina. Se você se mantiver firme no que Deus pensa a seu respeito, o seu passado não terá poder sobre o seu futuro. As lembranças permanecerão, entretanto não terão o poder de nos fazer desistir.

FOQUE NO PROGRESSO, NÃO NA PERFEIÇÃO

Se olharmos com sinceridade para nossa vida, descobriremos muitas coisas que precisam de mudança. Creio que, ao longo deste capítulo, você experimentou essa sensação. No entanto, só podemos fazer essas mudanças gradualmente, vivendo um dia de cada vez. Nossos defeitos e traumas, nossas dores e feridas não surgiram da noite para o dia, portanto não espere que desapareçam num piscar de olhos. Mudar uma coisa de cada vez leva tempo. Por isso, comece pedindo a Deus que mostre a você por onde começar. Seja bem específico no que você precisa mudar.

É desonestidade? É mentira? É falta de perdão ou um mau hábito? É compulsão por trabalho? É um sentimento de mágoa? É um divórcio mal resolvido que aprisiona a sua vida até hoje? É a traição do seu cônjuge? É um sentimento de medo? É compulsão por jogos de azar? É compulsão por comida? É vício em pornografia? É um distúrbio de sexualidade? É um sentimento de culpa? É um abuso sofrido no passado? É uma paternidade mal resolvida? É vício em álcool? Substâncias entorpecentes? É maledicência? É um sentimento de ódio? É compulsão por compras?

Nossos defeitos e traumas, nossas dores e feridas não surgiram da noite para o dia, portanto não espere que desapareçam num piscar de olhos.

O que você precisa mudar? Em que área você precisa de cura? Precisamos buscar uma vitória por dia. Peça ajuda ao Pai para viver cada dia em vitória sobre aquele defeito ou fraqueza. No entanto, acredite que a cura virá através de um processo. A Bíblia diz: "Estou convencido de que aquele que começou boa obra em vocês, vai completá-la até o dia de Cristo Jesus" (Filipenses 1.6).

Quando paramos para pensar em tudo que queremos mudar em nós mesmas, achamos muito difícil começar. Hoje, meu desafio para você é que escreva aqui uma coisa, apenas uma coisa, que você precisa mudar hoje. Você vai focar nesse hábito ruim até conseguir substituí-lo por um bom, e só depois passará para o próximo. Combinado?

> *E todos nós, que com a face descoberta contemplamos a glória do Senhor, segundo a sua imagem estamos sendo transformados com glória cada vez maior, a qual vem do Senhor, que é o Espírito.*
>
> 2Coríntios 3.18

Quando Paulo escreve esse trecho da carta aos coríntios, mostra a certeza de que não precisamos viver sob a pressão da perfeição; afinal, somos transformadas com glória cada vez maior. Se pensarmos em tudo que devemos mudar de uma só vez, ficaremos sobrecarregadas, desencorajadas e, efetivamente, não mudaremos nada. Por isso, foque em um passo de cada vez!

> "Dá-nos hoje o nosso pão de cada dia" (Mateus 6.11)

Com nossas atitudes, é como se disséssemos para Deus: "Dá-nos hoje o pão do mês, Senhor, não quero só o do dia". Deus quer dar a você força suficiente para mudar um dia, não uma semana, um mês, o resto de sua vida ou a eternidade.

Ele quer trabalhar em você um dia de cada vez. É como o velho ditado africano: "Como é que se come um elefante? Uma mordida de cada vez". A vida medida em quilômetros é dura, mas medida em centímetros é mais fácil.

> "[Disse Jesus:] 'Portanto, não se preocupem com o amanhã, pois o amanhã trará as suas próprias preocupações. Basta a cada dia o seu próprio mal' ". (Mateus 6.34)

Caráter não é construído em um dia. Defeitos de caráter não são removidos em um dia. A vida não é filme que aparece assim: "6 meses depois" e na próxima cena está tudo certo! A transformação de que você precisa não fica pronta em três minutos igual ao macarrão instantâneo. Quem valoriza o processo desfruta do crescimento. Deus valoriza o "um dia de cada vez", você já percebeu? Então por que você quer viver todas as etapas do processo de uma vez só? Ei, Deus sabe quanto você aguenta e dá a medida certa que você está pronta para receber! Esta geração está viciada no instantâneo, por isso sente dificuldades em viver os processos de Deus.

Os processos são necessários. E digo mais: há beleza em cada um deles! Seja paciente consigo mesma e seja sua maior encorajadora. Celebre as pequenas vitórias, os passos no caminho que dará rumo ao seu destino. Uma coisa é certa: direção é mais importante que velocidade. Ei, não dá para dormir Talitha e acordar Joyce Meyer! Muita calma nesta hora! Você precisará subir um degrau de cada vez. Quando aprendemos a aproveitar a jornada em vez de pular os processos, percebemos que estamos verdadeiramente sendo transformadas.

CAPÍTULO 6

POTENCIAL

Comece hoje a brilhar!

Dario achou por bem nomear cento e vinte sátrapas para governarem todo o reino, e designou três supervisores sobre eles, um dos quais era Daniel. [...] Ora, Daniel se destacou tanto entre os supervisores e os sátrapas por suas grandes qualidades, que o rei planejava tê-lo à frente do governo de todo o império. Diante disso, os supervisores e os sátrapas procuraram motivos para acusar Daniel em sua administração governamental, mas nada conseguiram.[...]

E assim os supervisores e os sátrapas, de comum acordo, foram falar com o rei: "Ó rei Dario, vive para sempre! Todos os supervisores reais, os prefeitos, os sátrapas, os conselheiros e os governadores concordaram em que o rei deve emitir um decreto ordenando que todo aquele que orar a qualquer deus ou a qualquer homem nos próximos trinta dias, exceto a ti, ó rei, seja atirado na cova dos leões [...]".

Quando Daniel soube que o decreto tinha sido publicado, foi para casa, para o seu quarto, no andar de cima, cujas janelas davam para Jerusalém e ali fez o que costumava fazer: três vezes por dia ele se ajoelhava e orava, agradecendo ao seu Deus. Então aqueles homens foram investigar e encontraram Daniel orando, pedindo ajuda a Deus. [...]

Então disseram ao rei: "Daniel, um dos exilados de Judá, não te dá ouvidos, ó rei, nem ao decreto que assinaste. Ele continua orando três vezes por dia". Quando o rei ouviu isso, ficou muito contrariado e decidiu salvar Daniel. Até o pôr do sol, fez o possível para livrá-lo.[...]

Logo ao alvorecer, o rei se levantou e correu para a cova dos leões. Quando ia se aproximando da cova, chamou Daniel com voz que revelava aflição: "Daniel, servo do Deus vivo, será que o seu Deus, a quem você serve continuamente, pôde livrá-lo dos leões?".

Daniel respondeu: "Ó rei, vive para sempre! O meu Deus enviou o seu anjo, que fechou a boca dos leões. Eles não me fizeram mal algum, pois fui considerado inocente à vista de Deus. Também contra ti não cometi mal algum, ó rei".

Daniel 6.1, 2a-4a,6,7,10,11,13,14,19-22

Quando pensamos em exemplos de sucesso, logo olhamos para os líderes das maiores empresas, para os governantes dos países mais desenvolvidos, para as pessoas que estão se destacando em suas áreas. No entanto, dificilmente olhamos para a parte difícil da vida dessas pessoas, para a longa jornada que precisaram percorrer para chegarem aonde chegaram e se destacaram.

Essas pessoas de sucesso têm coisas em comum entre si, e uma delas é esta: independentemente de suas circunstâncias, elas decidiram acreditar em seu potencial e investir em si mesmas. Investiram para brilhar. Assim como Daniel sabia que em si tinha um tesouro escondido e jamais abriu mão de seu relacionamento com Deus, você também pode chegar lá. Você foi feita para brilhar!

Escolha destacar o seu potencial, não o esconder

Existe uma frase que diz assim: "Pessoas medíocres estão sempre no seu melhor". Uau! Que verdade! Alguém que não pensa no crescimento sempre acha que está tudo bem em continuar como está, em viver "empurrando com a barriga". É justamente por isso que algumas pessoas se destacam no que fazem, enquanto outras passam despercebidas.

Quando fazemos o que fomos chamadas para fazer de forma excelente, é quase impossível não ficar em evidência.

Daniel foi uma dessas pessoas que se destacaram! Ele pegou todos os dons que Deus havia colocado nele e os potencializou de tal forma que era impossível não notar! Você pode ler muitos livros e ouvir muitas palestras sobre como liberar o seu potencial, mas as verdades que aprendemos na Palavra de Deus com a vida de Daniel são o real segredo para você se destacar!

> *Ora, Daniel se destacou tanto entre os supervisores e os sátrapas por suas grandes qualidades, que o rei planejava tê-lo à frente do governo de todo o império.*
>
> Daniel 6.3

O rei estava treinando muitos jovens, e o melhor deles — o mais inteligente, forte e talentoso — seria escolhido como o próximo líder da nação. Como lemos no versículo anterior, não foi Deus quem colocou Daniel em destaque. Ele mesmo se destacou por quem era! Ele estava fazendo o que foi chamado para fazer de forma tão excelente que era impossível não ficar em evidência!

Você está fazendo com excelência o que Deus mandou você fazer ou está esperando Deus dar a você um lugar de destaque para começar a fazer o que ele mandou?

Isso acontece quando você potencializa os dons dados por Deus, honrando-o com o que você faz de melhor! Cada pessoa é agraciada com pelo menos um dom. A Bíblia conta que Daniel era dez vezes mais inteligente do que qualquer outro homem. Ele tinha sabedoria e entendimento de sobra. Daniel era capaz de interpretar sonhos e visões. Gente, o que era isso? Favor de Deus sobre a vida de Daniel! Graça pura.

Nossos dons espirituais são potencializados quando escolhemos usá-los e aperfeiçoá-los. O problema é que passamos tempo demais pensando no que os outros vão falar e nos esquecemos de focar em desenvolver o que Deus nos deu. Quando você focar apenas no seu propósito, Deus concederá a você favor, criatividade e ideias, para que, assim como Daniel, você se destaque na multidão. Você está fazendo com excelência o que Deus mandou você fazer ou está esperando Deus dar a você um lugar de destaque para começar a fazer o que ele mandou?

Vamos pensar na vida de Daniel. Ele não passou a exercer sua função com excelência depois de ganhar um título; Daniel já liderava e se destacava pelo seu trabalho antes mesmo de ser considerado pelo rei para o cargo.

Vamos analisar a vida de Davi como outro bom exemplo. Se compararmos com os tempos de hoje, entre seus irmãos, Davi seria o que tinha o emprego menos importante. Não seria um grande executivo ou juiz renomado. Ele apenas tomava conta das ovelhas de seu pai.

Não fique esperando o cenário perfeito.
É aí mesmo onde você está que Deus
vai usar o seu potencial.

Ali mesmo, onde ninguém o via além de Deus, Davi dava o seu melhor e potencializava os seus dons. Era ali naquelas campinas que Davi treinava com o seu estilingue, defendia as ovelhas contra qualquer perigo, dava a vida por aquela função. Algum tempo depois, quando foi escolhido por Deus para ser tirado detrás das malhadas, Davi recebeu um lugar de destaque: de cuidador de ovelhas a rei de Israel. Na verdade, ele apenas continuou usando as ferramentas que já tinha: temor a Deus, coragem e ousadia!

Você consegue entender? As ferramentas de que você precisa já estão nas suas mãos, o potencial já existe dentro de você! Você só precisa liberar tudo que está aí dentro! Não fique esperando o cenário perfeito. É aí mesmo onde você está que Deus vai usar o seu potencial e fazer você brilhar.

Talvez você esteja em uma situação em que todos à sua volta são preguiçosos, desleixados, pegam o caminho mais fácil... Você não pode se deixar contaminar! Você deve ser aquela que se destaca na multidão! Deus está chamando você para estabelecer um novo padrão de qualidade. Ele quer levar você a lugares mais altos, muito além dos melhores que já sonhou. Mas você deve fazer a sua parte. Viva e seja o seu melhor a cada dia.

ESCOLHA A EXCELÊNCIA, NÃO A MEDIOCRIDADE

Daniel era excelente, já dissemos. No entanto, ele não era apenas um profissional de nível superior aos demais. Daniel era um ser humano de excelência! Seus inimigos vasculharam a vida dele, mas não puderam achar falta alguma, pois ele era fiel. Ele não era desonesto nem negligente (Daniel 6.4).

Nós vivemos em uma sociedade na qual o normal é realizar tarefas de forma "mais ou menos"; é aceitável trabalharmos de forma medíocre. Muitas pessoas fazem o mínimo possível. Elas não se orgulham de seus trabalhos ou de quem são. Se alguém está vendo, elas até tentam desenvolver uma *performance* melhor, mas, quando ninguém está olhando, pegam o caminho mais fácil, buscam atalhos.

Deus não abençoa a mediocridade,
Deus abençoa a excelência.

Se você não tomar cuidado, se não vigiar, poderá entrar nessa mesma mentalidade do "Tudo bem em chegar atrasado ao trabalho"; "Não tem problema se apresentar de forma desleixada"; ou "Só desta vez vou entregar menos que o melhor". Preste atenção, pois Deus não abençoa a mediocridade; Deus abençoa a excelência.

Você não deve se guiar pelos padrões do comodismo desta terra; você deve se guiar pelo padrão de excelência do céu!

Quando temos espírito de excelência, damos o melhor de nós mesmas para cada atividade, independentemente de quem estiver observando. Andamos a segunda milha, fazemos muito mais do que é considerado obrigação. Outras pessoas podem até reclamar do trabalho; podem andar por aí malamanhados, desinteressados, pegando o caminho mais fácil. Você será diferente, pois nada disso levará você ao próximo nível.

Ainda que os outros negligenciem o trabalho, não se atentem aos compromissos na faculdade, deixem o gramado crescer ao ponto de virar floresta, você deve buscar um destino diferente. Deixe-me dizer algo muito importante: VOCÊ NÃO É TODO MUNDO! Com certeza, você já ouviu essa frase da sua mãe. Você não deve se guiar pelos padrões do comodismo desta terra; você deve se guiar pelo padrão de excelência do céu!

Deus colocou todo o seu amor e cuidado em sua criação. A cada etapa concluída da criação, o Pai refletia: "Deus viu que ficou bom" (Gênesis 1.10,12,18,21,25). E, quando concluiu seu trabalho, antes de descansar, olhou para "tudo o que havia feito, e tudo havia ficado muito bom" (v. 31). Deus não fez nada que não fosse primoroso, e ele é o nosso exemplo maior.

Devemos estar sempre felizes,
mas nunca satisfeitas!

Vamos acabar com essa geração do "mais ou menos", do "está bom assim". Quando chegarmos ao final de "nossa corrida", temos de olhar para trás e concluir como Deus concluiu, que TUDO terá ficado MUITO BOM!

A gente tem que ser feliz sempre; só não pode se dar por satisfeita! Estamos em busca do patamar de Jesus, nosso alvo de perfeição. Sempre haverá uma área para melhorar, crescer, aprender. Ninguém sabe tanto a ponto de não ter nada mais para aprender. Você foi chamado para a excelência! Deus quer colocar você no mais alto nível, no mais alto padrão! Daniel era tão excelente, mas tão excelente, que nem os inimigos tinham alguma coisa para falar contra ele!

Descreva uma área em que você pode buscar agora mesmo subir um nível em busca da excelência e algumas formas de alcançar isso.

Tocar, cantar...
Ensaiando

Você tem que ser modelo no seu trabalho. Seu chefe e seus supervisores devem ver você como exemplo a ponto de dizer aos novos contratados: “Olhem para esta mulher aqui. Aprendam com ela. Façam as mesmas coisas que ela faz! Essa pessoa é sempre pontual, tem boas atitudes, faz mais do que lhe é pedido”. Isso é excelência! Quando você tem espírito de excelência como Daniel, não vai ser só promovida e receber aumentos, mas estará honrando a Deus e será honrada por ele.

Algumas pessoas pensam: “Quando eu for para a igreja, vou honrar a Deus”. Também é verdade. No entanto, outra forma de honrarmos a Deus é quando somos pontuais e produtivos no trabalho, quando estamos bem apresentáveis. Quando você é excelente, sua vida se transforma numa fonte de adoração a Deus.

Eu preciso dizer uma coisa: algumas pessoas nunca vão aceitar o seu convite para ir à igreja. Elas nunca vão ouvir um sermão na vida. Elas nunca vão ler a Bíblia. Mas essas pessoas vão estar "lendo" a sua vida; estarão "ouvindo" a sua vida; estarão "assistindo" à sua vida. Lembre-se: você é uma representante de Deus nesta terra.

Como representante de Deus, você não pode estagnar, parar no meio do caminho! Pise no acelerador, pois você tem muito potencial aí dentro para ser liberado! Acelere fundo para brilhar! Isso está ligado a ter um espírito de excelência.

Quando você é excelente, sua vida se transforma numa fonte de adoração a Deus.

Algumas pessoas dirigem carros que não são lavados há seis meses! Elas dizem: "Ah! Mas é só um carro velho; eu já estou pensando em comprar outro". Se você não cuidar do que tem hoje, como Deus poderá abençoá-lo amanhã? Independentemente se você tem muito ou pouco, se o que você tem está velho ou novo, cuide bem do que Deus confiou à sua mordomia e orgulhe-se disso! Lembre-se da fala de Jesus na parábola: "Muito bem, servo bom e fiel! Você foi fiel no pouco, eu o porei sobre o muito" (Mateus 25.21). Isso serve para todas as áreas da sua vida.

Nós representamos um Deus que não é desleixado. Ele não faz nada atropelado, nada de "segunda mão". Deus é excelente em tudo o que faz! Isso não significa que você somente será digna de representá-lo se for a melhor em tudo. No entanto, mostra que você deve cuidar do que tem da melhor forma possível.

Escolha a disciplina, não a comodidade

> [... F]ez o que costumava fazer: três vezes por dia ele se ajoelhava e orava, agradecendo ao seu Deus.
>
> Daniel 6.10

O que separa o sucesso do fracasso não é a falta de potencial; é a falta de disciplina. Por que Daniel se destacou em meio a tantas pessoas? Porque ele tinha uma vida disciplinada. Se você deseja acelerar o seu potencial e brilhar, precisa ter disciplina! Não apenas para orar e ler a Bíblia, mas também para segurar a língua, para ser grata, para ser obediente.

O que separa o sucesso do fracasso não é a falta de potencial; é a falta de disciplina.

O potencial é a ferramenta, a disciplina é o meio, e a excelência é o produto final. Quando exercemos o nosso potencial com disciplina, os frutos são excelentes! Pablo Casals foi um dos maiores violoncelistas de todos os tempos. Ele começou a tocar aos 12 anos e conquistou prêmios que nenhum outro músico conseguiu. Era conhecido mundialmente como o melhor nesse ramo. Ainda assim, aos 85 anos, Casals praticava cinco horas por dia.

Certo dia, um repórter perguntou por que ele ainda estudava e ensaiava tanto. Ele só sorriu e disse: "Eu acho que estou melhorando". Casals entendeu o princípio: quando paramos de aprender, paramos de crescer. Independentemente do que você faça, melhore sempre! Afie suas habilidades, não fique no mesmo nível, seja disciplinado!

O potencial é a ferramenta,
a disciplina é o meio, e a excelência
é o produto final.

Ouvi uma vez que muitas pessoas sofrem com a "doença do destino". Elas alcançam certo nível, conquistam diplomas, compram uma casa e depois se encostam. Existem pessoas que nunca mais leram um livro inteiro depois que saíram do ensino médio. As pessoas se enganam e pensam que época de aprender é só enquanto estão no colégio. Não! O aprendizado é para a vida toda.

Você tem que se responsabilizar pelo seu próprio crescimento. Crescer não é algo automático. Que passos você está dando para se aperfeiçoar? Você está lendo os livros certos? Assistindo a bons vídeos? Está fazendo algum curso? Tem algum mentor? Você tem um grande tesouro dentro de si! Existem potencial, dons e talentos colocados aí pelo Criador, mas tudo isso não vai aflorar automaticamente. Sua *expertise* deve ser desenvolvida com disciplina!

Em que na sua vida você já é excelente e deve buscar maior disciplina para não parar de crescer e aperfeiçoar os dons que Deus lhe deu? Como você pode fazer isso agora mesmo?

Deus está procurando pessoas que estejam preparadas para o crescimento. Ele quer aqueles que estejam seriamente comprometidos em cumprir o seu destino. Você pode estar vivendo uma fase em que não há nenhum reconhecimento pelo que faz, seja cuidar da sua família ou até no trabalho. Entendo que é difícil. No entanto, você sabe que tem muito mais potencial! Seria muito fácil fazer o que você faz de forma desleixada, dizendo: "Ninguém dá importância ao que faço, ninguém valoriza o meu trabalho, então posso fazer de qualquer jeito porque não faz diferença".

Permaneça crescendo, aprendendo
e se preparando. Quando você estiver pronta,
as portas se abrirão.

Não! Você tem que dar o seu melhor fazendo exatamente o que faz! Não existem tarefas pequenas demais, porque Deus não desperdiça nada, lembra? Você tem que começar a se desenvolver agora, aí mesmo onde está. Se, por exemplo, sua ocupação hoje é cuidar da família em tempo integral, você não é apenas uma "dona de casa", você é a principal influência e referência dos seus filhos. Isso é muito poderoso!

Existe muito valor em tudo que Deus confiou para você fazer, então aprenda a fazer o melhor. Quando Deus vê você se preparando, ele abre outras portas que você nem imagina. Se nenhuma porta está sendo aberta, não fique desencorajada, apenas continue desenvolvendo os seus dons. Uma hora, a porta que você tanto sonha se abrirá.

Não se preocupe com quem está à sua frente ou quando o seu tempo vai chegar. Apenas permaneça crescendo, aprendendo e se preparando. Quando você estiver pronta, as portas se abrirão. Eu li uma vez que os lugares mais ricos da terra não são os que têm mais petróleo ou minas de diamante. Os lugares mais ricos são os cemitérios. Enterrados lá estão negócios que nunca saíram do papel, livros que nunca foram escritos, músicas que nunca foram cantadas, sonhos que nunca ganharam vida, potenciais que nunca foram descobertos.

Não deixe o seu potencial parar no cemitério!

Sonhe!

Viva!

Cresça!

Brilhe!

CAPÍTULO 7

ESSÊNCIA

Comece hoje a apresentar
ao mundo quem você é!

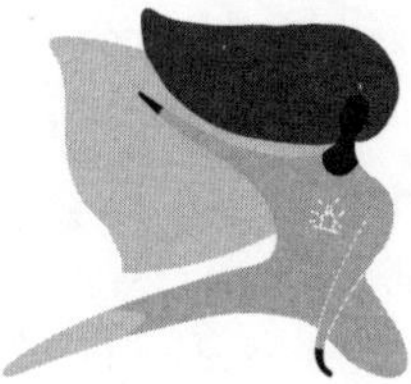

Mardoqueu tinha uma prima chamada Hadassa, que havia sido criada por ele, por não ter pai nem mãe. Essa moça, também conhecida como Ester, era atraente e muito bonita, e Mardoqueu a havia tomado como *filha* quando o pai e a mãe dela morreram. [...]

Ester não havia revelado a que povo pertencia nem a origem da sua *família*, pois Mardoqueu a havia proibido de *fazê-lo*. Diariamente ele caminhava de um lado para outro perto do pátio do harém para saber como Ester estava e o que lhe estava acontecendo. [...]

Ester causava boa impressão a todos os que a viam. [...]

O rei gostou mais de Ester do que de qualquer outra mulher [...] Então ele colocou nela uma coroa real [...].

Então Hamã disse ao rei Xerxes: "Existe certo povo disperso e espalhado entre os povos de todas as províncias do teu império, cujos costumes são *diferentes* dos de todos os outros povos [...]. Se *for* do agrado do rei, que se decrete a destruição deles [...].

Então Ester convocou Hatá, um dos *oficiais* do rei, nomeado para ajudá-la, e deu-lhe ordens para descobrir o que estava perturbando Mardoqueu e por que ele estava agindo assim.[...]

> *Quando Mardoqueu recebeu a resposta de Ester, mandou dizer-lhe: "Não pense que pelo fato de estar no palácio do rei, você será a única entre os judeus que escapará, pois, se você ficar calada nesta hora, socorro e livramento surgirão de outra parte para os judeus, mas você e a família do seu pai morrerão. Quem sabe não foi para um momento como este que você chegou à posição de rainha?"*
>
> *Então Ester mandou esta resposta a Mardoqueu: "Vá reunir todos os judeus que estão em Susã, e jejuem em meu favor. Não comam nem bebam durante três dias e três noites. Eu e minhas criadas jejuaremos como vocês. Depois disso irei ao rei, ainda que seja contra a lei. Se eu tiver que morrer, morrerei".*
>
> Ester 2.7,10,11,15b,17; 3.8a,9a; 4.5,12-16

Gente, eu amo a história de Ester! Uma bela jovem, órfã, adotada por Mardoqueu, que salvou todo o povo de Israel da pena de morte coletiva! Ester poderia ter sido apenas uma linda mulher, mas se tornou uma rainha. Poderia, então, ter sido uma bela rainha, mas se tornou a preferida do rei. Ester poderia ter pedido coisas para si quando ganhou a confiança do rei, mas preferiu agir conforme o plano maior de Deus e salvar todo o seu povo.

Pode ser que você já saiba todas essas informações sobre ela, mas o que eu quero mostrar agora é que você pode ter muito em comum com Ester!

NÃO PERCA A ESSÊNCIA DO PROPÓSITO

Deixe-me apresentar você a dois reinos que fazem parte da sua vida. O reino passageiro é este mundo em que vivemos agora, é a nossa jornada aqui na terra. E o reino eterno, o mundo espiritual, a realidade que Deus sonhou para nós e que deve refletir em tudo que fazemos.

No reino passageiro, Ester era somente uma jovem órfã. No reino eterno, ela foi levantada como protetora da linhagem messiânica. Esse era o seu propósito. Ester não se tornou rainha por acaso. Isso nos mostra que não devemos acreditar que o nosso propósito possa ser limitado pela forma como nos apresentamos no reino passageiro. Somos muito mais do que se pode ver.

No reino passageiro, podemos ser dona de casa, estudante, empreendedora, cozinheira, professora, mãe, babá. Podemos ser mulheres que tiveram uma história difícil de abandono, rejeição, traição. Contudo, no reino eterno, podemos ter uma grande posição, sublime a tudo o que vivemos...

Ester era uma jovem que não tinha pai nem mãe; estava em uma terra estranha, onde trabalhava pesado. Você pode olhar para si mesma e pensar: “Meu Deus! Eu sou apenas mais uma mulher no mundo”. Não! Você é Ester! Você é uma princesa do reino eterno e tem um propósito muito maior do que o que você pensa, mesmo que o cenário ao seu redor não seja nada favorável.

Eu não sei qual é o propósito de Deus para a sua vida, mas de uma coisa eu tenho certeza: Deus reservou algo muito grande para cada uma de nós, mulheres. Podemos olhar para nós mesmas e ver apenas falhas, imperfeições e tantos desafios de mudança. No entanto, Deus vê potencial! Ele acredita em você!

Ele investe em você! Ele a levanta! Ele a capacita! Ele vê você como uma princesa! Você pode se ver como "apenas uma órfã", mas tudo que foi dito até aqui é justamente para que você conheça quem realmente é e viva como quem nasceu para ser: princesa escolhida para cumprir um grande propósito!

Deus vê você como uma rainha sábia, alguém que vai fazer história! Alguém que vai mudar destinos! Deus chamou você para mudar o destino das pessoas ao seu redor! Deus escolheu uma jovem órfã — talvez desprezada por muitos — para fazer dela uma mulher que mudou o destino de uma nação.

Aqui, no reino passageiro, você pode pensar que é só mais uma mulher, mas, como princesa de um reino eterno, você é alguém que nasceu para influenciar, na sua maneira de falar, de se vestir, de se comportar... Como? Nunca perdendo de vista a essência do seu propósito, não importa o que estiver fazendo! O mundo precisa que você se apresente como verdadeira princesa de um reino eterno.

O texto bíblico fala que Ester foi levada ao palácio para seguir a mesma carreira das belas jovens de sua época. Contudo, mesmo que ela não entendesse o que estava acontecendo, Deus estava conduzindo a sua carreira.

Enquanto estamos neste reino passageiro, seguiremos carreiras, profissões, ministérios, como tantas outras mulheres. Contudo, a história de Ester nos mostra que uma princesa do Reino eterno não segue simplesmente uma carreira; segue propósitos divinos. Por isso precisamos preservar a essência que recebemos de Deus.

Talvez você esteja vivendo algo na sua vida sem entender o porquê. Você pode estar confusa, triste e cheia de questionamentos... Ei, Deus tem um propósito para a sua dor! Nada acontece por acaso! Ester não estava ali por acaso! Você não está aqui por acaso!

Há alguns anos, eu passei por um momento na minha vida no qual me perguntava a razão de tudo aquilo. Eu fiquei três meses em uma UTI e não tive a alegria de pegar minha filha em meus braços. Já no primeiro dia de vida, minha primogênita precisou passar por uma cirurgia muito delicada. Semana após semana, ouvi as palavras mais difíceis e duras que uma mãe poderia receber. Entretanto, por mais doloroso que fosse aquele momento e por mais que eu desejasse não ter passado por nada daquilo, no fundo, eu sabia que Deus tinha um propósito para aquela dor.

E um dos propósitos é eu estar aqui para dizer a você:

> "Filha, você pode achar que é alguém sem valor; você pode se sentir órfã, sozinha e não entender o porquê de muitas coisas acontecerem na sua vida. Todavia, Deus está lhe dizendo: 'Você pode até ser órfã, mas eu a levanto como uma rainha! Você pode até não entender o porquê dessa aflição, mas eu estou usando você para livrar uma nação! Sua vida existe para cumprir um propósito maior, por isso nunca perca a essência do seu propósito!' ".

NÃO PERCA A ESSÊNCIA DA HUMILDADE

No reino passageiro, Ester poderia ter optado por fazer o seu próprio destino, mas, como princesa do reino eterno, submeteu-se aos cuidados de seu primo, que lhe ensinou os valores do reino de Deus.

Isso revela que Ester era leal e fiel ao seu mentor. Quando foi exortada por Mardoqueu de que não estava naquele lugar de honra sem motivo, Ester logo se lembrou dos valores aprendidos e se submeteu ao primo e a Deus. No reino passageiro, somos estimuladas a ser "donas de nossos narizes". Por trás dessa expressão, está uma cultura de desonra, principalmente contra aqueles que nos ensinam a proceder dentro dos valores do Reino. Precisamos ser fiéis e obedientes como Ester.

A independência que o mundo prega à mulher vai contra os valores do Reino. Somos dependentes uns dos outros. Nós não somos donas de nossos narizes. Se você é solteira, quem orienta você são seus pais. Se é casada, é o marido. Deus determinou que essas pessoas tenham autoridade sobre sua vida. Você não pode enxergar a submissão como uma opressão, mas como um cuidado de Deus.

Existem mulheres que não gostam de receber ordens: "Quem manda na minha casa sou eu! A última palavra é a minha! Ninguém manda em mim". Isso é desonra e, na verdade, está enraizada no orgulho, na falta de humildade! Acredito no poder da cooperação entre marido e mulher, mas, sobretudo, para viver em harmonia, os papéis devem ser corretamente desempenhados.

Por ser a rainha, Ester poderia pensar que estava em uma posição de autoridade superior e por isso não precisaria da orientação de ninguém, podia fazer o que bem entendesse. Contudo, ela não agiu assim. Ela soube reconhecer a autoridade do seu primo e obedecer a ele com o coração humilde. Ester seguiu as ordens do primo, porque sabia que dessa forma estaria obedecendo a Deus. Ela ouviu a voz do Senhor por meio da orientação de seu primo. Seu coração permaneceu humilde, mesmo com o título que ela tinha recebido!

Durante todo o livro você foi empoderada pelas verdades de Deus a seu respeito. Isso com certeza vai colocar você em um nível mais alto! Você será ainda mais destemida, confiante, cheia de atitude. Todo o seu potencial levará você a altas posições. No entanto, quando você chegar lá, não perca a sua essência, não perca o coração humilde e ensinável de quem sabe que é completamente dependente de Deus para tudo. Aquele que depende de suas capacidades pode chegar rápido onde deseja, mas quem permanece com o coração ensinável e humilde chega mais longe e permanece no lugar de autoridade!

NÃO PERCA A ESSÊNCIA DO REINO

Ester com certeza era muito linda. Imagine que o rei poderia ter qualquer mulher que quisesse e, mesmo assim, a escolheu. Ela não se descuidou da sua aparência, mas, como princesa do reino eterno, sabia que o mais importante era o que estava em seu coração, não no exterior. Ela tinha permanecido fiel ao seu propósito eterno e também com o coração humilde e ensinável.

Este é o segredo de Ester: a beleza de seu coração trouxe formosura ao seu rosto, conforme a Bíblia diz em Provérbios 15.13. Ela era bela, de boa aparência e cheia de formosura. Existem muitas mulheres bonitas, mas vazias. Não adianta ser linda por fora e vazia por dentro. Não adianta cuidar do corpo, vestir-se bem e não cuidar da beleza interior, do caráter. Cuide do seu coração, em ser amorosa, misericordiosa; olhe para os outros com os olhos de Deus; seja gentil, educada, doce...

Nenhum lugar alto no reino passageiro se compara à sua posição no Reino eterno.

No reino passageiro, Ester se tornou rainha, sem perder o coração de princesa do Reino eterno. Suas atitudes eram simples e humildes. Mesmo sendo considerada a mais bela, ainda que tenha alcançado o favor de todos e se tornado famosa, rica e poderosa, Ester não perdeu a essência do Reino, ou seja, ela sabia quais armas deveria usar quando necessário e quais eram suas prioridades.

No reino terreno, Deus pode fazer você andar em lugares altos. Ele pode dar a você posições de destaque. No entanto, você deve preservar a sua fé e se manter firme e obediente ao Senhor, pois nenhum lugar alto no reino passageiro se compara à sua posição no Reino eterno.

Então, não se deixe corromper, não se torne refém da vaidade. Cuide do corpo, mas tenha cuidado redobrado com o orgulho.

Deus tem dado muito a você? Cuide do seu coração! A Bíblia diz que o coração do homem é enganoso. Quer conhecer uma pessoa? Dê poder a ela.

Há mulheres que infelizmente se vendem, se corrompem, perdem a posição de servas. Mesmo envolvida no seu papel de rainha no reino passageiro, Ester não ignorava a situação de seu povo. Era generosa e altruísta.

Ela viu que seu primo não estava bem e procurou saber a situação que o preocupava. Muitas vezes, estamos tão envolvidas em nossos papéis no reino passageiro que nem sequer nos sensibilizamos com a realidade do nosso povo. Como princesas do Reino sem fim, devemos estar atentas às necessidades das pessoas. A verdadeira princesa não olha somente para si, mas se preocupa com os outros, em cuidar deles. Palavra, abraço, carinho, cesta básica, doação de sangue... não viva focada em si mesma, olhe ao redor!

Ao saber do perigo que corria juntamente com seu povo, Ester sabia exatamente o que fazer e quais ferramentas usar para vencer a guerra! Ela lançou mão dos meios do Reino eterno, orou e jejuou para buscar em Deus a sabedoria que precisava.

Ester era linda, e o rei a amava. Ela podia ter jogado todo o seu charme e a sua sensualidade para pedir o que quisesse ao rei. Contudo, ela agiu como uma princesa de Deus: antes de se apresentar ao rei, buscou a Deus por meio do jejum e da oração.

Independentemente da sua posição no reino passageiro, qual o propósito do Reino eterno que você não pode se esquecer de viver? Qual deve ser a sua prioridade?

Ester, ao saber do que estava acontecendo, que um decreto real determinava a destruição dos judeus, não saiu correndo desesperada para tirar satisfações com Hamã ou contar ao rei do seu propósito. Ela foi se consagrar. Ela sabia quem era o verdadeiro Rei! Como ela, precisamos saber a quem recorrer quando as coisas ficam difíceis. Ester tinha tudo que quisesse ao seu dispor, mas sabia que só uma coisa era realmente necessária para mudar toda a história: Deus! Isso mostra um coração dependente.

Consagre-se ao Senhor! Busque-o em jejum e oração. Seja sensível com a situação do seu país, do seu povo. Seja bem informada e engajada socialmente. Levante um clamor pela sua cidade. Não deixe que seus olhos estejam focados apenas no seu próprio reino. Sobretudo, que você saiba como levar as boas-novas do Reino eterno para todos aqueles que precisam. E, não esqueça, quando estiver brilhando em lugares altos, recebendo o reconhecimento por tudo que fez, existem três coisas que você nunca pode perder de vista: o propósito, o coração humilde e a dependência do Espírito Santo.

CONCLUSÃO

Toda jornada de autoconhecimento visa o crescimento pessoal. Dizem os pediatras a respeito das crianças que "crescer dói". Olhar-se no espelho e encarar a si mesma com todas as suas dores, angústias e medos é um processo doloroso. No entanto, quando crescemos, nós nos tornamos melhores! Quando crescemos, nós nos tornamos melhores, nos desenvolvemos!

Ao chegar ao final deste livro, talvez você esteja pensando: "Eu nunca achei que fosse tão amada, especial e única, nunca me vi como uma princesa...". O engraçado é que, durante esta leitura, eu apresentei você a nada mais nada menos do que VOCÊ MESMA. Tudo o que fiz foi mostrar o reflexo que está no espelho desde que você nasceu, ainda que com seus próprios olhos você não enxergasse bem.

Talvez você nunca tenha sido amada verdadeiramente por seus pais e, quando se casou, imaginou que receberia do seu marido todo o amor de que precisava, mas ele a decepcionou. Feriu você com palavras duras, fazendo com que você pensasse que não tinha valor, que era péssima esposa, péssima mãe...

Talvez esse sentimento tenha se desenvolvido na escola, por motivos de *bullying*, ou porque você não sentia que pertencia ao lugar em que estava.

Os motivos que talvez a tenham levado a não reconhecer sua verdadeira identidade podem ter as mais diversas raízes. No entanto, Deus pôs este livro em suas mãos para lhe dizer: "Minha filha amada, andar de acordo com a sua identidade vai levar você ao destino que escolhi. O segredo sempre esteve bem aí, na essência que eu coloquei em seu coração. Agora que descobriu, vá lá e brilhe!".

Você tem valor!

Você é única!

Você é capaz!

Deus não escolheu você por ser mais uma no meio da multidão; ele escolheu você porque, apesar de toda a dor que sua história pode carregar, sempre houve um propósito muito maior e você precisa aprender a viver de acordo com ele!

Agora, você é livre!

Quando você olhar no espelho, não veja mais as dores do passado, mas as lições que fizeram você crescer.

Quando você olhar no espelho, não veja alguém que vive como uma escrava da autodepreciação, da autopiedade e da comparação, mas alguém que é amada de forma única.

Quando você olhar no espelho, não veja alguém que é dependente do seu desempenho, mas que é amada, está crescendo dia após dia e celebra cada pequena vitória.

Quando você olhar no espelho, não veja alguém que está em desvantagem em relação aos outros, mas que potencializa seus dons no mais alto nível para cumprir um propósito poderoso.

Quando você olhar no espelho, não veja alguém emocionalmente dependente, mas confiante e suficiente em Deus.

Quando você olhar no espelho, não veja alguém que vai desistir no meio do caminho por conta do medo, mas alguém que é imparável até o fim da vida, independentemente das circunstâncias.

Quando você olhar no espelho, sinta-se feliz, livre, curada, realmente pronta para trilhar a jornada incrível que Deus sonhou para você.

Obrigada pela chance de apresentar você a si mesma; agora, é hora de você se apresentar ao mundo!

Esta obra foi composta em *Adobe Caslon Pro*
e impressa por Gráfica Eskenazi sobre papel
Pólen Soft 80 g/m² para Editora Vida.